LES CHRONIQUES DÉLINQUANTES DE *LA VIE EN ROSE*
d'Hélène Pedneault
est le deux cent soixante-dixième ouvrage
publié chez
VLB ÉDITEUR.

LES CHRONIQUES DÉLINQUANTES
DE *LA VIE EN ROSE*

À Sylvie Dupont
Ariane Émond
Françoise Guénette
Claude Krynski
Louise Legault
Lise Moisan
Nicole Morisset
Francine Pelletier
et à toutes les autres, cette longue liste de femmes qui ont fait *La Vie en Rose* pendant 7 ans.

«Que de souvenirs! que de souvenirs...»

Un merci spécial à toutes les illustratrices de ces *Chroniques* qui m'ont prêté leurs dessins pour ce livre.

de la même auteure

LA DÉPOSITION, théâtre

Hélène Pedneault

Chroniques délinquantes de La Vie en Rose

vlb éditeur

VLB ÉDITEUR
4665, rue Berri
Montréal, Québec
H2J 2R6
Tél.: (514) 524.2019

Maquette de la couverture:
Mario Leclerc

Graphisme et illustration de la couverture:
Nicole Morisset

Photocomposition:
Atelier LHR

Distribution:
Diffusion DIMÉDIA
539, boul. Lebeau
Ville Saint-Laurent, Québec
H4N 1S2
Tél.: 336.3941

Données de catalogage avant publication (Canada)

Pedneault, Hélène
    Les Chroniques délinquantes
    ISBN 2-89005-297-4
    I. Titre

PS8581.E46C47 1988   C842'.54   C88-096109-0
PS9581.E46C47 1988
PQ3919.2.P43C47 1988

Préface

Ma chère Hélène,

J'ai passé un beau moment trop court à lire tes délinquantes chroniques. Encore! Encore! Nous faisons partie de la même famille, toi et moi: deux «filles à son père», attachées à la «femme» d'une façon viscérale, je dirais. Tu me fais le plaisir de me citer quelquefois, et j'aurais envie de te «piquer» certaines phrases: «Je ne suis pas un Provigo!» «J'ai mis une roche dans mon nombril.» «Y a-t-il une patate frite dans la salle?» Je suis d'accord avec toi, Hélène, tu ne sais pas vivre: tu manges trop de cochonneries, tu parles fort, tu t'emportes, tu déranges «ta voisine d'en bas», tu réveilles la banlieue, tu parles contre mes deux amis de gars (Georges-Hébert Germain et Luc Plamondon), tu ne portes jamais de foulard, tu ne sais pas vivre et tu l'écris bien en maudit! J'aime ton style direct, tes phrases qui ne font pas de littérature. Je te trouve nécessaire («dont on a absolument besoin», Larousse). Et comme la revue La Vie en Rose s'est éteinte, je te cherchais une tribune, j'ai trouvé: tous les soirs, après le Téléjournal et Le Point, il nous faut Le mot d'Hélène Pedneault! Penses-tu que «les gars vont vouloir?»...

CLÉMENCE DESROCHERS

ALORS VOICI...

Le mot d'Hélène Pedneault

Les *Chroniques délinquantes* naquirent un soir de bouffe, de rires, d'alcool et probablement de pleine lune, en septembre 1982. Les filles de *La Vie en Rose* avaient réuni quelques comiques de *partys* notoires chez Ariane Émond, parce qu'elles trouvaient que leur magazine était un peu sinistre et grave alors qu'elles étaient plutôt hilares la plupart du temps (sauf quand elles croisaient le sexologue Jean-Yves Desjardins et quelques autres individus peu recommandables sur la rue ou dans un colloque).

Ce fut une soirée inoubliable. Illustratrices et écrivaines, toutes aussi gratteuses de papier les unes que les autres, firent une répétition générale, entre elles, de ce que serait *La Vie en Rose* avec de l'humour. Après avoir été à deux doigts de refonder le magazine *Croc*, la boisson aidant, nous émîmes quelques suggestions qui avaient toutes en commun d'être plus baveuses les unes que les autres. Comme le libelle diffamatoire nous aurait pendu au nez à tout instant, nous nous calmâmes et retombâmes sur nos pattes comme nous pûmes: l'alcool nous étant tombé dans les jambes, nous étions devenues un peu approximatives. Nous éloignâmes, à grand renfort de verres de vin, les visions de poursuites judiciaires où *La Vie en Rose* était traînée devant les tribunaux par les cheveux pour avoir trop ri dans ses pages de nuisances publiques qui, *eux*, n'étaient jamais drôles.

Moi j'étais la petite nouvelle. J'avais écrit dans les trois derniers numéros seulement, je ne connaissais presque personne. (Mon premier papier, une nouvelle intitulée «Médisances», parut en mars 1982). Je n'étais pas de ces folles du début, ces irréductibles gueulardes qui avaient déjà sévi dans le Comité de lutte pour l'avortement, et qui avaient certainement décidé de fonder *La Vie en Rose* un autre soir de beuverie. Je venais d'avoir 30 ans, j'avais encore l'avenir devant moi et la pureté dans les yeux(!). Le dernier papier que j'avais écrit était une critique grinçante de leur célèbre numéro sur l'amour avec lequel j'étais bien loin d'être d'accord. Elles l'ont publié dans leur section «Commentaires». Ça s'appelait «Y a-t-il une amoureuse dans la salle?» Sans le savoir, je venais d'ouvrir le grand bal de la délinquance. Ce soir-là, nous nous hélâmes sans relâche, d'un bout à l'autre de la longue table, en parodiant mon titre, lui-même étant une parodie du non moins célèbre «Y a-t-il un médecin dans la salle? (La parodie dans la parodie: je savais bien que j'étais post-moderne quelque part...) Y a-t-il un cendrier dans la salle? me criait-on quand on avait besoin de l'objet en question. Y a-t-il une assiette dans la salle? quand on avait besoin de nourriture pour annuler les vapeurs de l'alcool afin de pouvoir continuer de boire ensuite, en toute quiétude. Y a-t-il une cigarette dans la salle? quand la nicotine lançait son appel d'original en rut. (Rappelons-nous cette époque divine et révolue où il était encore permis de répondre, publiquement, à l'appel de la cigarette sans se faire casser les deux jambes...)

Bref, après que nous eûmes épuisé tous les «Y a-t-il» que nous avions sous la main, quelqu'une, je ne sais plus qui (qu'elle se lève si elle est dans la salle!...), tonitrua: «Et pourquoi on ne ferait pas une chronique comique qui aurait toujours comme titre «Y a-t-il quelque chose dans la salle?» Sur ce j'ajoutai, intempestive comme à mon habitude: «Et je veux que ça s'appelle la 'Chronique délinquante'.»

Voilà, c'est ainsi que nous fîmes, sans savoir que cette chronique durerait presque cinq ans. (Et comme disait l'autre: «Vous fîtes ce que vous pûtes»!...) Nous partîmes ce soir-là chacune de notre côté, qui en taxi, qui à pied, à vélo ou à quatre pattes. Nous n'avons pas cessé de rire depuis ce temps. (Et ça n'est pas près de finir même si *La Vie en Rose* nous a quittées pour ne plus revenir en mai 1987). Dans le numéro suivant de novembre-décembre 82, j'écrivis «Y a-t-il un bébé dans la salle?» Ce fut la première chronique délinquante officielle.

Je croyais n'avoir jamais écrit ce genre de texte. Et pourtant je tombai, un jour de ménage, sur un de mes tout premiers textes, au *Progrès-Dimanche* de Chicoutimi, là où je commençai à sévir comme journaliste, en 1973. Le papier jauni s'intitulait: «Comment vivre incognito... ou le mariage de la princesse Anne». Le voici, en numéro 0: c'est l'ancêtre de la *Chronique délinquante*. Comme quoi il semble bien que, au cours d'une vie, on passe son temps à ne dire qu'une seule et même chose. Manifestement, moi c'est: NON!

Ma mère avait bien raison (comme toujours) quand elle me menaçait sans arrêt de m'envoyer à «l'école de réforme»: j'avais vite compris que la délinquance d'esprit était bien plus dangereuse que celle qui choisit le vandalisme. Ce qui ne m'a pas empêchée, dans ces 40 chroniques, de tirer des roches, de casser des vitres, de dégonfler des pneus, de dire des gros mots et de crier des noms.

Et même s'il y a des choses que je ne formulerais plus de la même façon, six ans plus tard, je persiste et je signe,

HÉLÈNE PEDNEAULT

P.S. Je dois rendre hommage ici à deux personnes qui m'ont précédée, dans l'humour, à *La Vie en Rose*. Il s'agit de Sylvie Dupont, l'une des fondatrices, qui signa les «Entrefilets au poivre» dès le troisième numéro, en septembre 1980, jusqu'en mars 1983; et de Monique Dumont, qui signa «Les us qui s'usent» jusqu'en mai 1983. Leur humour corrosif et leur conscience sociale et politique aiguë furent des modèles pour moi. Leurs chroniques sont des bijoux du genre. Je vous en recommande la lecture. Faites passer le mot: SORTEZ VOS VIEILLES REVUES! (Parce que vous ne les avez pas jetées, n'est-ce pas? Ce sont maintenant des pièces de collection.)

NOTES

1. Pour vous rafraîchir la mémoire, sachez que *La Vie en Rose* parut, pour la première fois, en septembre 1980, en inséré dans le défunt magazine *Le Temps fou*. Elle en fut locataire pendant un an, le temps de quatre numéros, puisqu'elle était alors trimestrielle. (Sur les plans administratif et rédactionnel, elle était cependant totalement indépendante du *Temps fou*.)

Le premier numéro solo (le cinquième) parut en mars 1981, avec Donalda en page couverture. (Elles avaient déjà manifestement décidé de s'attaquer aux grands archétypes du Québec!)

En septembre 1982, elle devint bimestrielle, jusqu'en septembre 1984. C'est alors que *La Vie en Rose* devint mensuelle (menstruelle?). Nous inaugurâmes la mensualité avec un numéro sur le pape (encore un archétype qui a la vie dure), qui nous valut des regards de tristesse et de réprobation de la part de toute la colonie journalistique qui fut atteinte massivement par la grâce lors du court séjour très coûteux de Jean-Paul II au Québec. (Heureusement que Nathalie Petrowski a réussi à pousser quelques fausses notes de son côté.)

Le dernier numéro de *La Vie en Rose* parut en mai 1987.

2. Pour réaliser la couverture de ces «Chroniques délinquantes», j'ai choisi Nicole Morisset, et ce n'est pas du tout par hasard: elle est d'abord une amie, mais elle a aussi été illustratrice et directrice artistique à *La Vie en Rose* du tout début, en 1980, jusqu'en mars 1984, son dernier travail graphique ayant été le numéro spécial sur Simone de Beauvoir. C'est elle qui avait trouvé la toute première illustration des Chroniques, le petit tire-roche. J'ai voulu qu'il soit là, avec elle.

0

Comment vivre incognito...
ou le mariage de la princesse Anne

Ceux qui ne savaient pas qu'Anne d'Angleterre prenait mari mercredi dernier sont capables de résister à tout assaut publicitaire, même à celui de J.E. Prud'homme avec son bingo «monss» électronique. Les photographes et les journalistes des pays complétant la carte du monde autour de l'Angleterre, qui se faisait nombril depuis quelque temps, ont suivi fouineusement les réactions des deux fiancés, les périodes de fin de mois d'Anne, les regards veloutés du berger devenu faux-bourdon et la ménopause d'Elizabeth. (Une rumeur persistante venant de source bien informée voudrait que le reste du monde ait continué de s'entrecracher dessus malgré tout.) *Paris-Match* consacrera ses prochaines 156 photos de première page à cet événement. (Ils avaient déjà un solide penchant pour la monarchie britannique.)

À bonne heure mercredi matin, les amateurs de contes de fées pour payeurs d'impôts s'extasiaient, (la bouche encore pâteuse), devant les attelages rutilants des chevaux traînant carosses et aristocrates. (Les chevaux ont impressionné plusieurs spectateurs selon les échos entendus de témoins matinaux ou couche-tard selon le cas.) La princesse Anne arborait toujours cette magnifique dentition devenue légendaire chez la famille royale: son sourire y prenait place subtilement. Les fastidieuses répétitions des deux jours précédant le mariage ne semblent pas avoir affecté outre mesure les délicats patriarches «parchemineux» qui ont suivi très bien (malgré leur âge avancé) la longue allée de l'abbaye de Westminster pour guider les deux fiancés myopes. (On a remis les archevêques dans le formol tout de suite après la cérémonie pour les conserver jusqu'au mariage du prince Charles.)

Bref, une cérémonie réussie, bien que le désir de la princesse de passer incognito n'ait pas été respecté (elle n'aurait jamais dû porter une aussi longue traîne). Les trompettes stridentes ont dévoilé le secret très vite, et un réseau de publicité subversive avait averti la population qui s'était massée sur le parcours du cortège.

Dorénavant, les Anglais pourront prendre leur thé dans une tasse à l'effigie du nouveau couple royal, jeter leurs cendres de cigarette sur la face souriante d'Anne et de Mark et rêver que Charles choisira sa fiancée dans leur famille (fiancée qu'on s'empressera d'anoblir, parents compris).

La voix de l'inévitable Henri Bergeron (toujours choisi pour les événements de même acabit) nous a fait saisir toute la simplicité de ce mariage. Mais avait-on besoin de nous faire manquer *Appelez-moi Lise* pour retransmettre une seconde fois cet événement dont la conséquence, à courte et à longue échéance, sera de faire augmenter le taux de jalousie sociale, et de donner aux revendications ouvrières une ampleur qui n'a jamais réussi à aucune monarchie. Mais les Anglais sont bien trop gentlemen pour faire sauter leur plus grosse industrie touristique: la famille royale...

LE PROGRÈS-DIMANCHE
(Chicoutimi), 1974

_____(1)_____

Y a-t-il une amoureuse dans la salle?

Suite à votre numéro *L'amour, toujours l'amour* de juin dernier, je vous signale une certaine quantité d'oublis. C'est peut-être à cause de ces oublis qu'à la fin de la lecture, l'amour avait l'air d'une notion. Comme je n'avais personnellement jamais vu l'amour sous cette forme, je vous dois un grand moment de stupeur, ce qui n'est pas à dédaigner dans le genre de vie que je mène. Je suis restée figée sur place pendant au moins vingt minutes, ce qui ne m'était pas arrivé depuis ma dernière rupture, en janvier 1979. Ensuite, j'ai crié sans un mot: «Y a-t-il une amoureuse dans la salle?» Ensuite, j'ai tenté de savoir comment on pouvait redonner du sentiment à une notion sans faire de sentiment. Après tout, aujourd'hui, on fait du son avec ses yeux à surveiller des aiguilles sur des cadrans plutôt que d'utiliser ses oreilles, on marche avec des roues, alors peut-être bien qu'on aime avec autre chose que le cœur et son réseau.

Quand je me bute à une notion, je deviens très complexe à suivre étant donné que mon grand-père maternel était italien, napolitain de surcroît et sûrement spécialiste du mélo, je dirais génétiquement. L'Italie est proche en moi, c'est dangereux pour la suite parce que je m'en viens vous dire que je suis amoureuse, là, tout de suite, au moment où je vous parle, et que si j'avais affaire à une notion, je ne ferais pas affaire à une chose qui me dépasse.

Suis-je un cas qui relève de la pathologie, de la guimauve ou de la débilité? Je suis un être primaire. J'éprouve encore malheureusement des choses vulgaires comme la jalousie, la peur du rejet ou de l'abandon, les accès de possessivité, l'ennui, les palpitations, l'envoûtement, l'asphyxie, les montées de pression, enfin tous ces petits maux qui font de belles grandes taches sur l'amour et qu'on voudrait bien voir partir avec des théories (suractivées ou aux enzymes). Il me manque probablement quelques réincarnations avant de m'élever. Ça me prend encore de la chair autour de l'os.

Par ailleurs, je considère que ce numéro sur l'amour est brillant, pratiquement d'un bout à l'autre. Je note l'éditorial qui est une merveille, l'article de Brigitte Sauriol, ceux de Francine Pelletier et de Jovette Marchessault en particulier.

Mais l'état amoureux, le plaisir de voir, d'entendre et de toucher. L'état amoureux sensoriel, les pulsions, les moments de bien-être absolu et les fréquentes fins du monde. Le temps amoureux, qui se languit dans cinq minutes ou passe à la vitesse de la lumière dans une semaine. Le ventre, le cœur et les artères. La mort, l'oubli et les obsessions. Mais «quand on aime comme on respire, les gens prennent ça pour une maladie respiratoire», disait Gary.

Dans l'état amoureux, il peut y avoir aussi des chats, de la musique, des chansons, des livres, du rire, des oranges, du vin et de la cuisine italienne. Mes chats et moi, nous nous aimons follement, personne ne peut le contredire. Alors, l'Amour?...

Je vous donne un gros plan d'une sorte d'amour, un certain jour, à une certaine heure. Ça ne se répète jamais dans les mêmes formes.

Gros plan: le baiser du 20 avril 1979

Nos bouches étaient si proches que le baiser devait être commencé depuis longtemps sans qu'on le sache. Tu as cassé un mot en miettes pour me dire: «Embrasse-moi.»

C'est sûr que le baiser était déjà bien vivant quand tu as dit: «Embrasse-moi.» C'est sûr qu'il était évident. C'est sûr que moi je n'ai rien dit.

J'ai regardé tes yeux de plus près, en fronçant vaguement les sourcils. Je suis arrivée à tes lèvres facilement. C'était le plus court chemin. Les yeux sont le plus court chemin d'une bouche à une autre, c'est géométrique, le théorème le plus compris au monde. Je n'ai pas touché tes lèvres tout de suite, même si j'en étais tellement proche qu'une feuille de papier de soie n'aurait pu passer entre mes lèvres et les tiennes. J'en ai fait le tour, lentement. Ma bouche respirait — entrouverte — sa pareille. Ce fut long. De la longueur du temps amoureux. Je ne pouvais plus quitter tes yeux. Ma bouche continuait sa lente reconnaissance. À force de se respirer, nos lèvres ont séché. J'ai mouillé doucement tes lèvres avec ma langue, et j'ai mouillé ensuite mes lèvres sur les tiennes. Lentement. C'est à ce moment-là que nos lèvres se sont jointes, comme deux morceaux de puzzle. C'est à ce moment-là que nous avons appris le baiser qui se vivait entre nous.

On ne se touchait pas d'ailleurs. Que des yeux et de la bouche. Pourtant, nous étions liquides. Pourtant, des mains nous poussaient dans le ventre et allumaient des tisons un à un dans le réseau du sang. Mêmes par la bouche, un seul système respiratoire: insatiables, inopérables, incurables.

Nos lèvres bougeaient sans se perdre une seconde.

Nos langues bougeaient, emprisonnées. Mais nos corps ne bougeaient pas. Ta tête contre le coussin du sofa, moi, penchée sur toi.

Je ne sais plus comment nos lèvres ont réussi à se séparer. Je me souviens que nous avions le souffle court et que nos poitrines se soulevaient presque à se toucher, au même rythme. Il y avait des sons dans nos bouches. Des H aspirés surtout, des petites brises qui se perdaient à l'intérieur des joues. Il n'y avait pas tellement de ces bruits mouillés qui caractérisent les baisers avides, passionnés. Nous étions pourtant avides, mais nos yeux étaient savants dans l'art de nous orchestrer.

C'est peut-être cette fois-là que je t'ai raconté, avec le plus de détails, que je t'aimais.

Dehors, c'était le mois d'avril.

Septembre-octobre 1982

2

Y a-t-il un bébé dans la salle?

Madame Janette Bertrand,
Émission *Janette veut savoir*,
Télé-Métropole,
Montréal.

Chère madame,

Les grandes personnes sont vraiment très bizarres. Les bébés qu'elles font les embarrassent et en même temps, elles ont l'air de courir après leur propre enfance. Elles n'ont certainement pas de mémoire pour vouloir revenir à leur enfance. Moi, en tout cas, j'ai hâte d'en sortir. C'est extrêmement stressant d'être une enfant dans une société qui est surtout faite pour les autos d'après ce que je peux voir. Il paraît qu'on ne se souvient presque jamais par nous-mêmes de notre enfance. J'entends ma mère questionner ma grand-mère sur l'enfance de mon père parce qu'elle voudrait comprendre pourquoi mon père est comme ça aujourd'hui. Ç'a l'air d'être très compliqué.

Ce qui me mêle le plus par rapport à mes parents, c'est quand mon père appelle ma mère «maman», comme moi, et que ma mère appelle mon père «papa», comme moi. Est-ce que mon père est mon frère dans ce cas-là? Est-ce que ma mère est ma sœur? J'ai remarqué que quand ma mère est choquée après lui, elle appelle mon père «Philippe», et quand elle n'est pas choquée, elle l'appelle «papa». Ça doit être très important.

Ce qui me mêle encore plus, c'est quand mon beau-frère Claude appelle ma sœur «bébé», et mon autre sœur Catherine fait la même chose avec son *chum* Jacques. Pourtant, il mesure 6 pieds et pèse 200 livres. Est-ce qu'il y a une grosseur limite pour appeler quelqu'un bébé? Est-ce que le mot *bébé* c'est comme le mot *Kodak* qui décrit tous les appareils photo avec la même marque? Est-ce qu'il y a un âge limite pour appeler quelqu'un bébé? C'est à n'y rien comprendre. J'ai remarqué que c'est des gens mariés ou qui sont amoureux qui s'appellent comme ça, et je crois qu'il faut qu'ils dorment dans le même lit, sinon ça ne marche pas. Il y a deux filles qui habitent en haut de chez nous et elle s'appellent «bébé» quand elles sont toutes seules. Je les ai entendues par la fenêtre ouverte quand je jouais dans le sable. Est-ce que tout le monde peut s'appeler «bébé»? Deux gars aussi? Est-ce que tous les habitants du monde s'appellent comme ça dans leur langue ou si c'est juste les gens de Montréal? L'autre jour j'ai essayé d'appeler ma sœur «bébé», et elle n'a vraiment pas aimé ça.

Ça fait beaucoup de questions à répondre pour vous, mais il paraît que je suis dans l'âge des questions. Alors, je n'y peux rien, ça me prend des réponses. Si vous pouviez faire vite j'en serais très heureuse, car nous préparons un congrès d'enfants pour le mois de février et je ne voudrais pas qu'on soit infiltrés par des faux «bébés» avec des barbes et des soutiens-gorge. On est déjà assez infiltrés comme ça par nos parents. Peut-être que je vais proposer d'appeler tout le monde en bas de six ans par un autre nom que bébé et faire enregistrer le nom pour que personne l'utilise. Il paraît que des madames de Paris ont fait ça avec leur nom de M.L.F. et que ça marche.

Un vieux bébé qui se veut du bien et qui veut savoir.

HÉLÈNE PEDNEAULT

7½ ans

Novembre-décembre 1982

Ya-t-il un BéBé Dans la Salle?

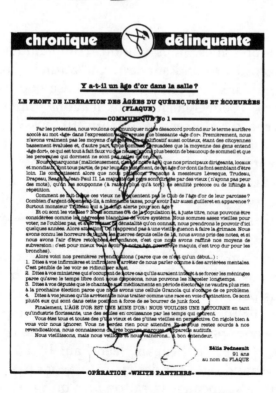

Titre et illustration: Nicole Morisset.

3

Y a-t-il un âge d'or dans la salle?

LE FRONT DE LIBÉRATION DES ÂGÉES DU QUÉBEC, USÉES ET ÉCŒURÉES (F.L.A.Q.U.E.)

Communiqué n° 1

Par les présentes, nous voulons communiquer notre désaccord profond sur le terme aurifère accolé au mot «âge» dans l'expression aussi creuse que blessante «âge d'or». Premièrement, nous n'avons vraiment pas les moyens d'endosser un qualificatif aussi coûteux, étant des citoyennes bassement évaluées et, d'autre part, nous sommes persuadées que la moyenne des gens entend «âge dort», ce qui est tout à fait faux, vu que nous n'avons plus besoin de beaucoup de sommeil et que les personnes qui dorment ne sont pas celles qu'on croit.

Nous remarquons (malicieusement, c'est de notre âge) que nos principaux dirigeants, locaux et mondiaux font tous partie, de par leur âge justement, de cet âge d'or dont ils font semblant d'être loin. Ils compatissent alors que nous pâtissons. Pensons à messieurs Lévesque, Trudeau, Drapeau, Reagan, Jean-Paul II. La majorité des pays sont dirigés par des vieux (n'ayons pas peur des mots) qu'on soupçonne (à raison plus qu'à tort) de sénilité précoce ou de *liftings* à répétition.

Comment se fait-il que ces vieux ne fréquentent pas le club de l'Âge d'or de leur paroisse? Combien d'argent dépensent-ils, à même nos taxes, pour avoir l'air aussi guilleret en apparence? Surtout monsieur Trudeau, qui a le doigt bien alerte pour son âge?

Et où sont les vieilles? Nous sommes 6 p. 100 de la population et, à juste titre, nous pouvons être considérées comme les négresses blanchies de votre système. Nous sommes assez vieilles pour voter, ne l'oubliez pas, et avec le taux de dénatalité qu'on connaît, nous prendrons le pouvoir d'ici quelques années. Alors, attention! On n'apprend pas à une vieille guenon à faire la grimace. Nous avons connu les horreurs de toutes les guerres depuis celle de 14, nous avons pris des notes, et si nous avons l'air d'être retombées en enfance, c'est que nous avons raffiné nos moyens de subversion: c'est pour mieux vous avoir (à notre âge, prendre le maquis, c'est trop dur pour les bronches).

Alors, voici nos premières revendications (parce que ce n'est qu'un début...):

1. Dites à vos infirmières et infirmiers d'arrêter de nous parler comme à des arriérées mentales. C'est pénible de les voir se ridiculiser ainsi.

2. Dites à vos ministres qui s'occupent de notre cas qu'ils auraient intérêt à se forcer les méninges parce qu'avec le temps libre dont nous disposons, nous pouvons les harceler longtemps.

3. Dites à vos députés que le chantage aux médicaments en période électorale ne vaudra plus rien à la prochaine élection parce que nous avons une cellule Granola qui s'occupe de ce problème.

4. Dites à vos jeunes qu'ils arrêtent de nous traiter comme une race en voie d'extinction. Ce sont plutôt eux qui sont dans cette position à force de se bourrer de *junk food*.

Finalement, L'ÂGE D'OR EST UNE MINE D'OR! NOUS VOULONS UNE RISTOURNE en tant qu'industrie florissante, une des seules en croissance par les temps qui courent.

Vous êtes tous et toutes des p'tits vieux et des p'tites vieilles en puissance. On rigole bien à vous voir nous ignorer. Vous ne perdez rien pour attendre. Et si vous restez sourds à nos revendications, nous connaissons de très bonnes marques d'appareils auditifs.

Nous vieillissons, mais nous veillons et nous vaincrons... À bon entendeur,

> ZÉLIA PEDNEAULT
> 91 ans
> au nom du F.L.A.Q.U.E.

— OPÉRATION «WHITE PANTHERS» —

Janvier-février 1983

NOTE DE 1988:
Comme les gens n'étaient pas habitués encore au ton de la chronique délinquante, nous avons reçu deux appels de journalistes qui croyaient que Zélia Pedneault existait vraiment et qui voulaient l'interviewer. Ils n'en revenaient pas qu'une femme vieille puisse parler sur ce ton!... (Les préjugés sont forts.) Moi, à 91 ans, je gueulerai tout aussi fort.

4

Y a-t-il une criminelle dans la salle?

LETTRE DE CALAMITY JANE
À MONICA-LA-MITRAILLE

Chère Monica,

De moi à toi, il est très étonnant de penser qu'aussi peu de femmes aient songé, comme nous, à la seule façon payante pour une femme de travailler: faire des *hold-up*. Ça tombe sous le sens pourtant. Mais non. Il faut toujours qu'elles suivent des *chums* qui ne sont pas assez brillants pour ne pas se faire prendre, et elles se retrouvent enfermées parce que tout ce qu'elles ont trouvé de mieux à faire c'est d'être complices: complices d'épais et punies pour ça par-dessus le marché. Moi je me suis toujours débrouillée seule, avec le peu de moyens qu'on avait à l'époque, cheval et carabine. Quand je pense maintenant à tout ce que vous avez sous la main pour être de meilleures criminelles, plus professionnel-les: chevaux-vapeur et mitraillettes. Dans mon temps, c'était l'artisanat. Aujourd'hui, c'est l'industrie, comme dans tout le reste. Maintenant vous avez tout cuit dans le bec, du *Tylénol* au *Cruise Missile* pour les «bouchers», en passant par la viande avariée et la crise économique pour les *racketteurs*. Plein de prétextes pour voler à portée de la main. Vous pouvez même voler sans que ça paraisse trop, avec respectabilité, en fondant une secte religieuse ou en vous faisant élire députées. Où est le *fun*? Il n'y a plus de création dans ce métier si exaltant jadis.

Vous avez tout cuit dans le bec, mais vous êtes flouées quand même parce «qu'ils» vous ont fait entrer de force dans la «criminologie». Les flics ne vous regardent plus la face mais le bout des doigts. Dans mon temps, on pouvait laisser traîner ce qu'on voulait sur les lieux d'un crime. Aujourd'hui, vous devez faire des vols sur un stress permanent parce que si vous respirez, ils vont pouvoir identifier l'air qui sort de vos poumons. Plus d'aventure. On découvre les coupables sous un microscope plutôt que de les pourchasser sans relâche sur des pistes désertiques. Vos portraits sont imprimés partout et vos têtes ne sont plus mises à prix tellement elles ne valent plus rien. On ne veut même plus de vous dans les prisons parce que vous coûtez trop cher à faire vivre. Le seul moyen pour vous de faire du *cash* solide, c'est d'écrire un livre sur vos aventures passées. Et encore! Il paraît qu'ils vont donner les droits d'auteur aux parents des victimes pour les «dédommager». Il n'y a plus de liberté d'expression. C'est à vous dégoûter de la vie.

Maintenant, où je suis, je peux relaxer, écrire à ma fille, lui envoyer des recettes. Je n'ai plus besoin d'argent. L'action me manque un peu mais je vis dans l'espoir de voir naître un jour une véritable criminelle, authentique, qui n'aurait pas froid aux yeux et au reste, sans cœur, calculatrice. Une *winner* quoi! Et si ça ne vient pas assez vite, je me choisis un corps et je me réincarne au plus sacrant. Elles sont trop sentimentales à mon goût.

De tout cœur avec toi, ma sœur, donne vite de tes nouvelles.

CALAMITY JANE PEDNEAULT

P.S. Aurais-tu, toi aussi, des projets de réincarnation? On pourrait peut-être s'associer...

Mars-avril 1983

NOTE DE 1988:

Toutes mes excuses à Martha Jane Cannary (Calamity Jane) et à ses descendant-es pour avoir écrit qu'elle était une bandite. Erreur fatale. Elle était tout le contraire. Mais elle a vécu libre, comme un homme, à une époque où les femmes étaient harnachées. Alors évidemment, les rumeurs de toutes sortes ont circulé à son sujet. Comme maintenant quoi!

_____(5)_____

Y a-t-il une patate frite dans la salle?

CONFESSION D'UNE JUNKIE

Moi, Hélène P., 31 ans, junkie, persécutée... je le dis maintenant: ma vie est un enfer. Je circule coupablement d'un *stand* de patates frites à l'autre, à l'insu de Louise Lambert-Lagacé[1], la nuit, quand tous les chats sont gris et que personne ne peut me prendre la main dans le sac (gras) de patates. À partir de 23 heures, j'entre dans la clandestinité: j'ai repéré les meilleures patates frites en ville, et mon réseau me mène du *Montreal Poolroom* de la rue Saint-Laurent jusqu'à *Bien Bon*, coin Duluth et Saint-Denis, en passant par *L'Express*, de l'autre côté de la rue, *stand* de patates très *in* et de luxe (inconvénient du luxe: il n'y a pas de *take-out*, les sacs bruns Kraft étant peu compatibles avec ce genre de décor).

La mort dans l'âme, je suis régulièrement obligée de suivre mes amies «normales» dans des restaurants végétariens, chinois ou japonais — endroits d'expiation de mes péchés de chère — ou d'écouter leurs sermons sur la montagne de mes déchets toxiques, en attendant de me venger chez *McDonald's* ou chez le *Colonel Sanders*.

---

1. Louise Lambert-Lagacé, diététicienne-chroniqueuse bien connue.

L'équilibre alimentaire m'angoisse, les calories me rendent folle, les hydrates de carbone me dépriment, les vitamines me harcèlent (je ne suis plus capable de réciter l'alphabet sans faire de l'urticaire), et les minéraux me narguent. As-tu assez de fer? Mange des épinards! (J'haïs ça.) Manques-tu de potassium? Élimines-tu? Mange du tofu! (Ça goûte rien.)

Hypoglycémie, cancer, hypertension, embonpoint, diabète, le chœur grec des maladies de la malbouffe hurle dans ma conscience, et je me sens comme Gilbert Bécaud accusé d'avoir volé-l'a volé--l'a volé l'orange.

En fait, je mène une double vie: je mange des pommes parce que c'est bon pour la santé, et je les fais descendre avec un bon verre de Coke tiré de mes 26 onces (750 millilitres) quotidiens, achetés au dépanneur le plus loin parce que le dépanneur du coin de la rue vend des mauvais crus qui goûtent le Pepsi. C'est bon pour ma santé: ça me fait marcher.

La base de mon alimentation est la tranche de pain Weston que je couvre de toutes sortes de matières (j'ai le sens de la hiérarchie, je n'ai pas dit «nourritures») selon l'inspiration du moment: Cheez Whiz, mayonnaise Miracle Whip, beurre de *peanut*. Les pâtes et la sauce tomate sont la moitié de ma vie, les patates frites l'autre moitié, les pizzas, *hot-dog* et *hamburgers* l'autre moitié, et toutes les sortes de viandes, connues et inconnues, l'autre moitié. Ça fait quatre moitiés? Ce n'est pas trop pour une junkie authentique. Je suis une grande carnivore: je mords, je déchire, et j'aime ça. On m'a offert à gros prix de remplacer le lion de la Metro-Goldwyn-Meyer sur les écrans, mais j'ai dit non: je préfère rester anonyme.

Je fuis les salades et le foin qu'on a tendance à mettre dans les assiettes depuis quelques années (aucune consistance intéressante là-dedans). Je vais même jusqu'à

me manger la peau des doigts, mais ça c'est psycho-
logique, paraît-il, même si moi je prétends que c'est hau-
tement gastronomique. Un *fast food* à portée de la
main. En fait, je me mange les doigts depuis que j'ai des
dents et depuis que la *Vénus* de Milo est l'une de mes
héroïnes (elle a tout bouffé, elle, jusqu'aux coudes...)

Quand vous saurez que je n'ai que 10 livres[2] en
trop, que je n'ai pas de boutons dans la face et que je n'ai
pas encore muté, vous comprendrez que je ne m'en sors
pas trop mal et que je serais même assez bien dans ma
peau si Louise Lambert-Lagacé n'existait pas, ainsi que
quelques-unes de mes connaissances. Comme mes amies
«normales», je vais mourir: non pas en bonne santé
comme elles, non pas de malnutrition comme vous
l'arrière-pensez, mais d'épuisement à force de fuir la
surinformation, Louise Lambert-Lagacé et la culpabilité.
Caféinowoman, *cocaïnowoman* et *nicotinowoman* en
plus, je ne me ferai certainement pas incinérer: j'aurais
trop peur de faire sauter le crématorium ou de polluer
l'air plus qu'il ne l'est actuellement avec tous les déchets
toxiques que je contiens. Et tant mieux, même les vers ne
voudront pas de moi...

HÉLÈNE P.

Mai-juin 1983

---

2. En 1988, c'est 20 livres en trop, excusez-moi...

—————————(6)—————————

Y a-t-il une chronique dans la salle?

NON

Je suis vexée. Mes «patronnes» de *La Vie en Rose* sont en train de m'enfermer dans mon rôle de chroniqueuse comique engagée pour dire n'importe quoi, et moi je veux écrire de beaux grands textes bouleversants. Francine Pelletier est rendue qu'elle me présente à du monde que je ne connais pas en disant: «C'est elle la patate frite.» Quand même, moi si timide et effacée... (cette affirmation gratuite n'engage que la responsabilité de son auteure).

Je considère que je suis brimée dans mon rôle de future écrivaine bouleversante et je dis que les femmes de *La Vie en Rose*, toutes féministes qu'elles soient, ont nui à mon avancement en création en ne me demandant pas d'écrire une nouvelle pour le numéro d'été.

En guise de protestation, j'ai décidé d'en écrire une quand même, en changeant mon style habituel pour ne pas être reconnue. J'ai adopté, pour l'occasion, le style «nouvelle écriture» qui sied si bien à certaines revues littéraires que je ne nommerai pas ici afin d'éviter les attentats...

□

Glissement progressif d'une fourmi
dans une Margarita

Importance du glissement progressif d'un alcool vers/dans un plaisir Margarita = téquila + citron + sel et/ou fourmi. $E = Mc^2$. Énergie. Boire une fourmi croquante ou non. Boire. Malgré et à cause   Pour et avec Mais où donc et car ni or. Grammaire délavée dans des centenaires javelisants. Rien ne va plus   Les jeux sont faits. Prendre un p'tit cou(p) dans ses mains c'est agréable Lancinance Palpitance   Artériosclérose des artères d'une ville autour d'une terrasse. Quelle terrasse Quelle margarita   Quelle fourmi   Cul-de-sac. Prise en charge d'une fourmi par un estomac et/ou par des jambes. Des fourmis dans des jambes   Fourmillement des sucs gastriques et/ou des muscles. Digestion. Ou non.

Une fourmi flottait dans une margarita   quelque part   en même temps qu'un cerveau et quelques idées. Magma. Modification. L'année dernière à la Barbade et/ou à Hiroshima. Duras dirait: «Tu n'as rien vu dans ta margarita.» Un matin de juillet   était-ce l'année dernière? une femme ne pensa pas à la fourmi qu'elle avait avalée la veille quand elle tira la chasse d'eau. Elle était devenue anonyme dans les alcooliques.

ANONYME PEDNEAULT

Juillet-août 1983

7

Y a-t-il une puce dans la salle?

PÉRIPLE D'UNE ROCHE DANS UN NOMBRIL

J'ai mis une roche dans mon nombril. C'est une roche lisse, douce, brun chocolat, avec de petites taches subtiles qui n'ont pas l'air de taches, mais qui effleurent quand même sa surface comme le feraient des taches. Je suis à Orly avec cette roche dans mon nombril. Je l'ai mise là intentionnellement, non par un accès soudain de folie, mais dans un mouvement qui allait de soi (de résistance ou de protestation, peu importe) parce qu'il était immoral de laisser la Méditerranée derrière moi pour plonger dans un aéroport. Je ris toute seule. L'hôtesse au comptoir de Wardair pense que je suis de bonne humeur parce que je rentre. Erreur. Elle ne peut pas imaginer que c'est parce que j'ai une roche dans mon nombril et que je ris du bon tour que je suis en train de leur jouer, à elle et à toutes les personnes que je croise. Est-ce que j'ai l'air d'une fille qui a une roche dans son nombril? Franchement.

L'hôtesse contemple mon billet. Si elle pensait subitement que je pouvais avoir une roche dans mon nombril pendant que je lui parle, elle serait obligée de quitter son costume bleu et son emploi pour cause de déviation, ou de faire comme si de rien n'était. Elle ne prendrait jamais le risque de penser jusque-là. Un doute m'effleure:

suis-je en train de faire un *ego trip*? On dit partout que le nombril a quelque chose à voir dans ce genre de *trip*...

Je suis en train de traverser l'ère technologique — si apparente dans les aéroports — avec une roche dans mon nombril. Je me demande si le détecteur de métal va sonner quand je serai obligée de passer à travers pour me rendre à l'avion. Ma roche contient peut-être des substances qui peuvent affoler les détecteurs électroniques. Qui sait? Peut-être même des substances radio-actives?... Je ris encore plus. Il y en a qui ont des pierres «dans» le foie ou «dans» les reins, alors je peux bien en avoir une dans le nombril.

Je me demande à combien de puces électroniques correspond le volume de ma roche. Vingt-cinq? Cinquante? Cent? Serais-je aussi désinvolte si je transportais cent puces électroniques dans mon nombril? Je ne crois pas. Je me sentirais une responsabilité que ma roche ne m'oblige pas à avoir. Elle ne m'oblige à rien d'autre qu'à être morte de rire dans un aéroport un jour de juin 1983, et à me souvenir de la Méditerranée. C'est facile, ça fait des petits frissons aux bons endroits.

Ma roche contient l'histoire du monde. Je peux imaginer qu'elle contient un fossile, *le* chaînon manquant peut-être, ou qu'elle est un morceau du bras droit de la *Vénus* de Milo transporté jusqu'en Italie par un marin grec, sans obligation de vérification scientifique. Y penser suffit. Les puces, elles, peuvent contenir des millions de données, scientifiquement objectivables. Sur un millimètre carré de surface, je pourrais transporter dans mon nombril les deux annuaires de téléphone de Montréal, blanc et jaune, l'encyclopédie *Britannicus* au complet, la *Grolier*, la *Quillet*, la *Cuisine raisonnée*, et toute l'information pesante qui empêche de flotter. Me voyez-vous en train de me promener avec l'œuvre complète de Victor-Lévy Beaulieu dans mon nombril?

Ce jour-là, je décide officiellement, en mon «fort» intérieur, que les puces électroniques ne sont pas faites pour les nombrils, que ce n'est pas leur place vu qu'elles ne sentent ni la Méditerranée, ni le sel, ni la menthe poivrée, ni le café, ni la sueur, ni la peau, qu'elles ne goûtent rien et ne génèrent même pas de frissons. Probable qu'on ne peut même pas les prendre dans ses mains trop longtemps sans risquer de les oxyder. Capricieuses.

Quand on pourra en ramasser sur les plages, au soleil, je reviserai ma position. En attendant, qu'elles restent dans «l'air» technologique où elles peuvent briller en paix. Je n'en veux pas dans mon nombril.

P.S.: Celles et ceux que l'expérience intéresse et que le nombril incommode, peuvent remplacer le nombril par tout orifice équivalent. Succès garanti à tout coup.

Septembre-octobre 1983

8

Y a-t-il une langue dans la salle?

S'INDIQUER OU SE SYNDIQUER

MÉMO

À M. Yvon Charbonneau
Président de la CEQ

Cher monsieur,

Je suis votre employée (*il faut dire «employée» et non pas «numéro»*) depuis 12 ans, et comme je n'arrive pas à vous voir en personne, je vous envoie un mémo par le courrier interne, comme on jette une bouteille à la mer.

Je suis débordée de travail (*il faut dire «travail» et non pas «lourde tâche»*) à cause des excès de langage de vos syndiqué(e)s qui mélangent toutes les expressions disponibles en français pour en faire un salmigondis syndical (*il faut dire «salmigondis» et non pas «assemblage disparate et incohérent»*) insensé, truffé d'erreurs grossières et/ou de glissements de sens importants (*il faut dire «glissements» et non pas «déraillements»*). Je vous livre ici quelques observations que j'espère pertinentes.

Il faut dire: «hôtel de passes» et non pas «table de négociation».

Il faut dire: «nous avons trop bu hier soir» et non pas «les relations s'enveniment».

Il faut dire: «Hey, les gars» et non pas «camarades».

Il faut dire: «indéfrisable» et non pas «permanente» (*le mot «tonette» n'est pas accepté*).

Il faut dire: «grève» et non pas «trêve».

Il faut dire: «marivaudage» et non pas «maraudage».

Il faut dire: «simplifier toute l'affaire» et non pas «dégraisser les appareils et les structures» (*on dégraisse un bouillon ou un rôti*).

Il faut dire: «résoudre un problème au plus vite» et non pas «se pencher sur une question» (*plus la question est basse, plus les chances de ramper sont grandes*).

Il faut dire: «les patrons des syndiqué(e)s» et non pas «les instances syndicales».

Il faut dire: «il faudrait bien savoir où on s'en va» et non pas «clarifier notre position».

Il faut dire: «bateau du chef» et non pas «leadership».

Ces quelques remarques étant dites, pensez à nos jeunes qui, déjà, ne sont plus capables d'écrire notre belle langue française ordinaire. Imaginez-les en train d'essayer d'écrire votre langue: ce serait de l'ampleur d'une catastrophe nucléaire.

De plus, si les syndicats sont aussi impopulaires, c'est peut-être que les gens ne vous comprennent pas. Vous inspirez-vous des nouvelles de Radio-Canada? Si oui, ce n'est pas une bonne idée: leur langue est un code complexe que seuls les initiés comprennent (*il faut dire «initiés» et non pas «journalistes»*). C'est le moyen qu'ils ont trouvé pour protéger l'information de la plèbe. Auriez-vous besoin de protéger le syndicat des syndiqué(e)s?

Je vous laisse sur cette profonde question (*il faut dire «profonde» et non pas «creuse»*). Si la situation ne change pas dans les plus brefs délais, je devrai en aviser les hautes autorités (*il faut dire «hautes autorités» et non pas «élitistes»*) de l'Office de la langue française du Québec qui, lui, est pris avec le même problème de langue au niveau du gouvernement (*il faut dire «pris» et non pas «pogné»*). Cette nouvelle langue est cancérigène. Un nouveau terme circule d'ailleurs pour définir cette façon douteuse de faire dévier la langue française: l'alpha-bêtise.

Veuillez agréer, cher monsieur Charbonneau, l'expression de mes sentiments inquiets.

ROSETTE CHARETTE
(*il faut dire «Rosette» et non pas «Pélagie-la»)»*
Agente d'information
(*il faut dire «agente d'information»*
et non pas «espionne»)
à l'O.L.F.D.L.C.E.Q.
(Office de la langue française
de la Centrale d'enseignement du Québec)

Novembre-décembre 1983

ERRATUM

Contrairement à ce que certain-e-s ont cru, H.P. ne faisait aucunement allusion à madame Rosette Côté de la CEQ en signant sa chronique de novembre du nom de Rosette Charette. C'était le choix fortuit d'une chroniqueuse délinquante tout à fait ignorante des dossiers syndicaux. *LVR.*

9

Y a-t-il un président dans la salle?

HISTOIRES D'ŒUFS

Peut-on faire une guerre sans casser des œufs? Eh bien oui. La preuve: cette conversation surprise dans une porte de réfrigérateur un soir de dégivrage. La lune était pleine. De guerre lasse, j'avais rangé le marteau, l'arrache-clou et le couteau à boucherie qui me servent normalement à casser les deux pieds de glace qui m'empêchent, à tous les deux mois, d'ouvrir la porte du congélateur. J'avais les bras morts et les mains gelées. C'était la défaite. Le désir de vivre m'ayant momentanément abandonnée, je décidai d'opérer une retraite stratégique vers mon lit. La porte du réfrigérateur était entrouverte. Les chats, très angoissés à cause de la lune et de ma mauvaise humeur, rôdaient autour de mon lit, incertains, comme s'ils marchaient sur un terrain miné. J'essayais courageusement de faire redescendre la moutarde qui m'était montée au nez quand, tout à coup, j'entendis des murmures. Saisie, je glissai sur la pointe des pieds jusqu'au réfrigérateur haï. Je tendis l'oreille, et je pris note de ce qui suit.

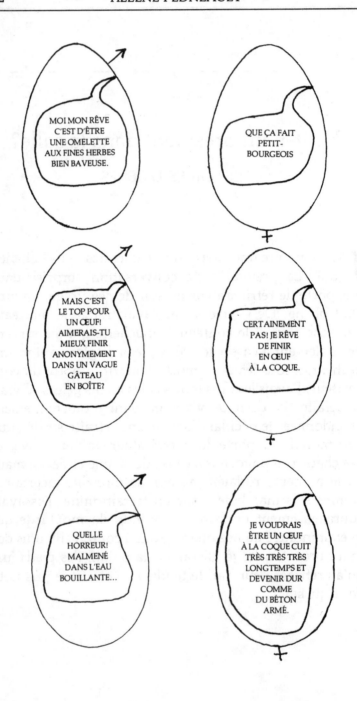

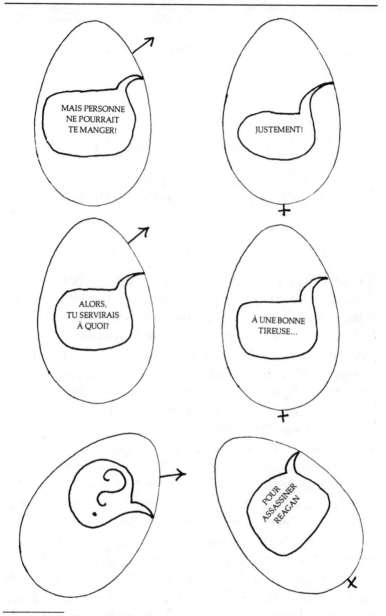

NOTE DE LA TRADUCTRICE: J'ai bien envie de l'aider à réaliser son rêve. J'ai une casserole et un excellent tire-roches…

Janvier-février 1984

10

Y a-t-il une banlieue dans la salle?

CHRONIQUE RÉGIONALISTE
OU DÉCOUVREZ VOTRE BANLIEUE

Je sais très bien qu'on est toujours la banlieue de quelque chose ou de quelqu'un. C'est même une des choses que je sais le plus au monde parce que je viens de Jonquière et que, pour les gens du *Royaume du Saguenay*, tout le reste du Québec est la banlieue. Le nombre de centres d'achats au mètre carré, la cathédrale de Chicoutimi, et le mont Jacob en plein milieu de Jonquière sont des choses claires, objectives. Des preuves irréfutables. Montréal s'est créé une banlieue à elle juste pour se venger, et Laval s'est annexé les Laurentides au grand complet, pensant que c'était les Rocheuses. Mauvais calcul, surtout depuis les autoroutes à 50 cents.

Les Français, eux, bâtissent des «ceintures» autour de Paris et déménagent en «périphérie». C'est normal: à cause de l'histoire, ils ont le droit d'employer des mots qui ont l'air de maladies mentales parce qu'ils sont supposés savoir ce qu'ils signifient. Et Paris est devenue la banlieue de New York, New York, celle de San Francisco, San Francisco, celle de Paris, et les femmes, celle des hommes, dont elles étaient en réalité les métropoles depuis toujours. (Métropole est un mot moderne issu de la déformation de mère-poule à travers les siècles.)

Le syndrome de la banlieue peut jouer même dans les relations amoureuses. Je me suis déjà sentie en banlieue de quelqu'un tellement cette personne avait le sens de la périphérie. Nous étions si nombreuses dans cette ceinture que nous avons pu fonder une métropole. Et qui s'est retrouvée dans la banlieue? L'ancienne métropole. Bien fait.

Il faut savoir que ça joue sur le mental et les mentalités de se sentir remorqueuse ou remorquée, dépendant de la couche de culture, de la langue ou de la grosseur de l'ego. Les souris de laboratoire et les statistiques l'ont prouvé à maintes reprises: nous, La Femme, avons du mal à nous sentir ego, encore moins égales, ce qui provoque chez nous le syndrome de la banlieue même quand nous habitons en plein cœur de New York. Nous n'aurons jamais le sens du gratte-ciel, ni celui du dîner d'affaires pour parler de golf, ni celui de brasser des 30 sous dans notre poche en nous balançant d'avant en arrière, la bedaine en avant et la tête haute, en pérorant des opinions bien arrêtées sur la situation économique lamentable et la manière de faire quand même de l'argent avec.

C'est comme pour les lois. On a beau nous dire que c'est inutile, nous nous entêterons toujours à essayer de les comprendre en vue de les affronter, alors que le mieux c'est de les oublier et de les contourner.

En banlieue de nous-mêmes, des hommes, de la justice, du pouvoir, des Chevaliers de Colomb et de la bourse. Et attention: une banlieue en cache une autre.

Alors, que nous reste-t-il à faire? Entrer dans les Dames de Sainte-Anne? Se tirer une balle dans la tête? Croire dur comme fer au personnage de Denise Bombardier? Fermer les yeux et penser à l'Angleterre? Non. Plutôt mourir que de me tirer une balle dans la tête. Je préfère travailler ma métropole par en dessous en ma double qualité (mais ne sont-ce pas plutôt des défauts?) de femme et de banlieue.

Et je caresse un grand projet pour régler une fois pour toutes le problème international de la banlieue: faire de la planète une ville unique qui porterait, bien sûr, le nom de Jonquière.

BLEUETTE PEDNO

Mai-juin 1984

Graphisme: Sylvie Laurendeau.

11

Y a-t-il un Georges-Hébert Germain dans la salle?

OU
LE SYNDROME DU COUILLON

Mon cher Georges-Hébert Germain,

La monarchie est finalement disparue de France après de Gaulle, la tuberculose est maintenant disparue de la carte des maladies mortelles, mais la misogynie, elle, n'a pas l'air près de disparaître si je me fie à ton papier (non, je n'ai pas dit torchon) paru dans *L'Actualité* d'avril dernier: «Les hommes après 20 ans de féminisme ou le syndrome du bourdon.» Je me demande si une grande scientifique va finir par trouver un vaccin contre la misogynie, un antidote ou une explication à partir des chromosomes ou de la longueur du pénis.

J'aurais pu intituler ma chronique «Les femmes après des millénaires de masculinisme», mais ç'aurait été trop long à détailler. Il n'y a pas 36 manières de dire «c'est assez-basta-j'en ai marre» selon le pays: il faut gueuler un bon coup. C'est ce que nous avons fait depuis 15 ans. Ton problème, Georges-Hébert Germain, c'est que «tu prends le féminisme personnel sans arriver à le prendre historique», pour reprendre une phrase des Folles Alliées, grandes féministes comiques et délirantes.

Imagine, Georges-Hébert Germain, si au lieu de vous crier des noms ou de nous choquer noir on était toutes parties à rire, pendant 15 ans, chaque fois qu'on parlait de vous, «de vos pompes et de vos œuvres». Imagine le bel éclat de rire. Mais vous n'auriez pas été plus contents. Malheureusement, on n'est pas arrivées à prendre le masculinisme autrement que historique. Si on avait pu le prendre personnel, on aurait pu se sacrifier, une fois de plus, au nom de la sacro-sainte maternité et de l'altruisme. Parce qu'en fait, si je comprends bien, en plus de déterrer notre histoire que vous avez magistralement occultée, en plus de répondre à vos poncifs et pontifes répétitifs qui affirment sans rire l'infériorité biologique des femmes et pèsent les cerveaux pour le prouver, en plus de torcher vos petits, vos édifices publics et vos maisons, de vous encourager dans vos carrières et de vous faire jouir, il aurait fallu vous supporter dans vos peines et vos insécurités pendant qu'on vous criait vos quatre vérités. Ben voyons. Comme disait ma *chum* Claudette, les femmes ont fini de faire les nourrices, et ce dans tous les sens du terme.

Débrouillez-vous. Quand bien même vous vivriez quelques années de culpabilité, qu'est-ce que ça peut nous faire? On a baigné dans cette sauce depuis la naissance; je ne suis pas contre que vous la viviez à votre tour (appelons ça la garde partagée!) juste pour savoir comment c'est fait, comment ça mine et comment ça rend malade.

Tu passes 17 lignes, Georges-Hébert Germain, à donner raison aux féministes et le reste à contredire ce paragraphe-alibi: «Ils (*sic*) ont raison, indéniablement. Rien à redire contre leurs discours et leur projet. Les femmes ont déclenché le plus puissant mouvement idéologique qu'aura subi pour son plus grand bien notre civilisation.» Les autres 562 lignes sont d'un deuxième type.

«Le féminisme a créé chez l'homme une profonde insécurité et une fragilité émotionnelle qui le rendent beaucoup plus vulnérable aux maladies psychosomatiques», dit le psychiatre-psychanalyste Claude Saint-Laurent, sinistre personnage freudien que tu cites abondamment. Bravo! Allez vous faire prescrire des *Valium*. De toute façon, tout à la peine et aux blessures que nous vous avons faites, vous ne vous êtes même pas aperçus du changement de ton du féminisme depuis une couple d'années. Vous en êtes restés aux discours raides et aux grandes manifs des débuts. Vous boudez tellement fort, comme des petits garçons que vous êtes, qu'on vous entend pareil même si vous êtes soi-disant silencieux.

«Les hommes se sont tus. Au début parce qu'ils craignaient de ne pas être compris; ensuite, parce qu'ils ont acquis la certitude qu'on ne les écoute pas.» Pauvres petits. Maman-a-pas-le-temps-de-les-écouter! On vous a tellement écoutés dans le passé qu'on a vraiment beaucoup de misère à vous entendre maintenant. De toute façon, je trouve que vous avez le silence pas mal tonitruant et agissant. Je te signale que vous êtes encore au pouvoir partout, au cas où tu serais trop bousculé par les femmes pour t'en être aperçu.

Tu parles de 20 ans de féminisme. Mais, mon pauvre Georges-Hébert Germain, le féminisme n'est pas nouveau. Il y avait des féministes à Alexandrie, en Grèce, au XVIIIe, au XIXe siècle, à toutes les époques et dans toutes les disciplines. Renseigne-toi. La grande différence entre hier et maintenant, c'est que ce mouvement-ci est irréversible. Vous vous retrouvez dans la position de Napoléon à Waterloo. Ça s'appelle frapper un nœud.

On gagne du terrain, Georges-Hébert Germain. Et même si les analystes du chômage essaient de nous culpabiliser en reliant le problème à la présence des femmes sur le marché du travail, on ne les croit plus. On ne les croira plus jamais. On devient une force économique, Georges-Hébert Germain. Vous êtes déstabilisés et avec vous toute la société que vous avez construite. D'après ce que je peux saisir de votre litanie de lieux communs au sujet des femmes et de vos doléances, bander ou débander doit avoir un lien direct avec la montée ou la descente de l'indice Dow Jones.

Et ne venez pas me parler du matriarcat québécois et de la force des femmes d'ici. *Bullshit*. Force de torchage. Le pouvoir enfermé entre les quatre murs d'une cuisine.

«Il n'y a plus de discours amoureux. Et plus de désir sous la douche froide du discours féministe, le désir est insoutenable.» Tu as lu ça dans *Pif* ou dans les livres de Philippe Sollers? Le problème, Georges-Hébert Germain, c'est que tu fais un travail de perroquet et non de journaliste. Tu répètes les insanités de Claude Saint-Laurent: «ne vous demandez pas pourquoi les hommes ne font plus la cour aux filles. Ils n'ont pas envie de subir le discours féministe. Ils préfèrent donc éviter toute discussion et aller droit au but en utilisant les armes ou pièges les plus simplistes. Ils prennent le chemin le plus court entre le désir et la satisfaction.» À ma connaissance, il n'y a que deux chemins courts du désir à la satisfaction: le crossage et le viol. Conclusion: le féminisme mène les hommes à la masturbation et au viol. CQFD. Un peu simpliste, non? Et ça continue: «La grande vogue de la porno douce serait une réaction des hommes au féminisme. Incapables d'affronter les vraies femmes, ils se tournent vers les femmes en papier, inoffensives et permissives.» Ben voyons. A-t-on déjà trouvé plus subtile manière d'expliquer une industrie multimilliardaire?

On aurait pu aussi se passer de tes fantasmes personnels, Georges-Hébert Germain, ton «jardin de fantasmes», comme tu dis. Tu nous ennuies pendant 56 lignes sur le ton: «Quand je me promène dans le bois avec ma carabine dûment chargée entre les mains, il m'arrive de m'imaginer que je tombe sur une belle fille endormie. Beau flash! Mais qu'est-ce que je ferais? Je vous le demande.» Tu devrais faire attention à étaler ainsi tes fantasmes. Cette image de toi déambulant «ta carabine chargée entre les mains» est une image phallique troublante. Tu pourrais te retrouver sur un divan freudien avant peu. Y aurait-il chez les hommes envie de double, de triple ou de quadruple pénis?

Je me demande comment les pères de famille qui ont une fille se débrouillent pour lui expliquer que, contrairement à ce que dit Georges-Hébert Germain, elle ne pourra pas aller dormir seule dans un bois sans danger, qu'elle ne pourra même pas se promener seule le soir ou faire du *jogging* sur le mont Royal à sept heures du matin sans danger, et que c'est justement des «monsieurs qui-sont-de-la-même-sorte-que-papa» qui risquent de lui faire du mal. Comment résolvent-ils ce problème? En le laissant à leur femme, je suppose, comme d'habitude.

Tu qualifies ton papier de «reportage», moi je dis que c'est du «rapportage» primaire, maladroit, infantile, bien en dessous des prétentions de *L'Actualité* à être un grand magazine d'information, et de tes propres capacités. J'ai toujours pensé, jusqu'à ce jour, que tu étais un bon journaliste. Dorénavant, je serai beaucoup plus vigilante et j'attendrai qu'un journaliste écrive sur les femmes avant de me prononcer.

P.S.: As-tu déjà songé à passer de l'adolescence à l'âge adulte?

P.P.S.: J'ai aussi écrit cette chronique en l'honneur de Jean Paré, ton illustre rédacteur en chef, qui t'a commandé l'article.

Juillet-août 1984

N.B. Cette chronique était une réponse à l'article de Georges-Hébert Germain paru dans *L'Actualité* d'avril 1984: «Les hommes après 20 ans de féminisme ou le syndrome du bourdon».

12

Y a-t-il un quizz dans la salle?

OU

LE PAPE-TEST EN DIX PRÉLÈVEMENTS

1. *Quelle est la grande figure ecclésiastique qui viendra créer des embouteillages au Cap-de-la-Madeleine en septembre prochain?*

A. Le pape Khomeiny

B. L'ayatollah Jean-Paul II

C. Un Polonais

2. *Quelle sainte femme québécoise s'empressera-t-on de canoniser pour l'occasion?*

A. Aurore l'enfant martyre

B. Claire Lortie

C. Rose-Anna Saint-Cyr

3. *Combien de fidèles se masseront les uns les autres sur le parcours du Saint-Siège?*

A. On est six millions, faut se masser.

B. On est 12 012, faut se tasser.

C. Les quelques milliers de gars des Forces armées canadiennes (sauf un caporal hystérique et compulsif), de la GRC, de la Sûreté du Québec, du FBI et de la CIA.

4. *Combien les organisateurs de la visite papale permet-tront-ils de miracles à Sa Sainteté?*

A. Aucun, pour ne pas mettre en faillite l'industrie québécoise de la prothèse et de la chaise roulante.

5. *Choisissez parmi les personnes suivantes celles qui auraient été susceptibles d'être miraculées:*

A. Jean Chrétien (il aurait joint à son dossier une photo de John Turner pour donner au pape une idée du changement désiré).

B. Georges-Hébert Germain (pour guérir du syndrome du bourdon, nouveau virus très difficile à isoler par la science traditionnelle).

C. Jean-Yves Desjardins, sexologue (cas désespéré qu'il faudrait refaire au grand complet).

D. Jean-Paul II lui-même (pour faire cesser ses rêves érotiques avec la Vierge).

6. *Quelles personnes ou groupes les organisateurs projettent-ils de faire disparaître pendant dix jours, et d'excommunier en cas de résistance?*

A. Les pauvres qui n'ont pas de beau linge.

B. Denise Boucher et ses fées.

C. Jovette Marchessault et ses faiseuses d'anges.

D. Les femmes dont le prénom est Marie et même dont le signe astrologique est la Vierge (on n'est jamais assez prudent avec un obsédé).

E. Tous les caporaux magasiniers de l'armée canadienne.

F. Les Turcs dont le nom de famille est Agca.

G. Les Italiens (qui en savent trop long sur la papauté).

H. Les Polonais (qui en savent trop long sur le pape).

I. Le maire Drapeau (parce qu'il aurait exigé d'apparaître sur toutes les photos du pape pendant son séjour, soit quelques millions).

J. Le Dr Morgentaler (il s'en fout, il est juif).

K. Rose-Anna Saint-Cyr (pour s'être envoyée en l'air dans les champs de fraises avec Joseph-Arthur).

7. *Comment peut-on savoir qu'un cierge, une cassette ou tout autre assiette ou calendrier avec la face du pape est un objet authentique, certifié par les organisateurs de la visite papale, et non un faux mis en marché par de vulgaires spécialistes du marketing?*

A. Ils coûtent cher: si un cierge vous coûte 10 $ au lieu de 125 $, c'est un faux.

B. Si vous regardez une photo de Jean-Paul II en transparence et que la face de Boy George n'apparaît pas en filigrane, c'est une fausse.

C. Si vous écoutez une cassette avec la voix (supposée) du pape et que vous ne lévitez pas à cinq pieds au moins, c'est une fausse.

D. Si le pape est tiré, tous les vrais objets se désintégreront sur-le-champ.

8. *Qui va profiter le plus des retombées économiques de la visite papale?*

A. Toujours les mêmes.

B. Céline Dion.

C. Les fabricants d'hosties (et vice versa).

D. Les églises dont les toits coulent sur des bancs vides.

E. Les curés (qui vont pouvoir dorénavant boire du

Châteauneuf-du-Pape pendant la messe plutôt que de la *Cuvée des Patriotes*.)

F. Direct Film (qui prévoit des records de développement de «la face du Saint-Siège», comme dirait Clémence.)

9. *Quels seront les sujets tabous durant la visite du pape?*

A. La sexualité sous toutes ses formes, y compris la sexualité infantile et celle des chattes (parce qu'elle s'entend trop.)

B. La présence ou non d'une âme et/ou d'un stérilet chez les femmes.

C. La pauvreté des femmes dans le monde (parce que ce n'est qu'un mythe entretenu par les féministes).

D. La baisse de la natalité.

10. *Quels seront les sujets traités par le pape dans ses nombreux discours?*

A. La masculinisation des mots *foi, espérance, charité, messe, transsubstantiation, eucharistie* (pour commencer quelque part), tous désespérément féminins, et la féminisation des mots *péché* et *démon*, pour mieux coller à la réalité objective de ces mots.

B. Le thème de la famille traité selon le modèle polonais ou italien du Sud.

C. Les bienfaits de Maurice Duplessis sur la société québécoise et l'annonce de sa canonisation aussitôt que l'Union nationale sortira du tombeau.

D. Dieu (parce qu'Il a besoin d'un bon coup de promotion au Québec et que c'est rendu que des espèces d'invertis comme Boy George et Michael Jackson ont plus de succès que Celui qui les a créés... Ah! si on avait pu permettre l'avortement ces deux fois-là!)

Septembre 1984

13

Y a-t-il une chronique délinquante dans la salle?

OUI

Un jour d'août, je me promenais sur la rue Rachel. Il faisait une chaleur lourde, du genre de celle qui sévissait presque à temps plein durant le dernier été. Je croquais officiellement, à pleines dents (comprendre que je ne me cachais pas) un superbe gâteau qui devait faire dans les 500 calories solides, confirmées une à une par n'importe quel livre primaire de diététique (pâte à chou/crème Chantilly/cossetarde/fraises fraîches et kiwis coincés entre les deux). En moins de cinq minutes, je me suis fait dire par deux commerçants que c'était «beaucoup de calories». En public.

En premier lieu dans un magasin naturiste — d'accord, j'avoue que c'est de la provocation claire — où j'achète toujours mes bâtons d'encens *Spiritual Sky* pour exterminer sans merci l'odeur des chats dans mon appartement. Et en deuxième lieu, dans une quincaillerie *Rona* où j'allais juste comme ça, pour rien, pour renifler parce que j'adore ça. Pourtant, ce gâteau ne m'est absolument pas tombé dans l'estomac comme une tonne de briques ou de ciment, alors ce n'était vraiment pas l'affaire de la quincaillière. Mais j'avais certainement l'air de trop aimer ça (coudonc, je n'étais pas en train de me sacrifier!). Il faut dire que mes «passions» paraissent, sans que je le veuille, dans quelques rondeurs suspectes.

Moi je me trouve très en santé de manger un gâteau avec un plaisir si évident que tout le monde en crève d'envie. Je suis certaine que mon corps pense la même chose que moi et qu'il ne me fera pas de troubles. La seule difficulté que j'ai, c'est avec mon subconscient à qui j'ai dit un jour d'enregistrer que j'aimais les livres. Et je viens de me rendre compte que les deux mots sont pareils pour parler d'un bouquin ou d'un poids. À l'époque, je n'ai pas songé à lui faire voir la différence et, en toute bonne foi, il a enregistré une passion pour les livres qui n'a aucune place décente dans ma bibliothèque. Je suis en train de suivre des cours d'informatique pour pouvoir le déprogrammer et le reprogrammer comme du monde. Tout est sous contrôle.

Justement, le contrôle. Ça me fait penser que j'ai perdu de vue mon sujet. Nous étions sur la rue Rachel, fin août. Je venais d'être humiliée publiquement pour un tout petit gâteau de rien du tout. Heureusement que j'étais de très bonne humeur cet après-midi-là. J'adore aller à la poste *maller* des lettres et je venais d'y aller. En plus, mes affaires vont bien. Malheureusement, je déteste être contrôlée ou avertie ou prévenue ou «conseillée d'amie» pour mon bien. C'est la chose que je déteste le plus au monde. Si je veux un conseil, je le demande. En dehors de ça, bâdrez-moi pas. C'est la raison pour laquelle je n'endure pas de patron ou de patronne. C'est un mot disgracieux qui me rappelle la couture et les modèles qu'il faut suivre sinon on n'est pas à la mode et on risque de se retrouver avec une chemise de nuit quand on avait l'intention de se coudre une paire de pantalons.

Les banques me font payer 1 $ si je demande à voir un chèque que *j'ai* fait, elles me font payer 8 $ si j'ai le malheur de faire mon dépôt une heure trop tard, elles me gèlent les fonds si je dépose un chèque de ma meilleure amie qui a l'air suspect parce que trop personnel. C'est le terrorisme et le contrôle quotidien. C'est rendu que les quêteux de 25 cents de la rue Saint-Denis m'engueulent quand je refuse de les subventionner, et que ma voisine d'en bas contrôle mes allées et venues, avec qui et à quelle heure.

Tous les sondages Gallup, Crop et compagnie essaient de contrôler mon vote en me disant que Brian Mulroney sera le prochain Premier ministre, alors, si j'ai l'intention de gagner mes élections pour avoir l'air de savoir choisir, j'ai intérêt à mettre ma croix là où *ils* pensent. En plus, ils prétendent me contrôler par l'objectivité. Ils sont «*objectifs*»! La belle affaire. Les journalistes contrôlent mon opinion publique, l'Office de la langue française contrôle ma langue, les gens de l'impôt contrôlent mon revenu (je ne peux malheureusement pas le mettre au pluriel), l'argent des autres contrôle mes goûts et mon inconscient contrôle ma vie.

Alors, je n'ai qu'une solution: je demande officiellement carte blanche. Le jour où j'aurai assez d'argent à mettre dedans, je m'achèterai un bas de laine et j'enverrai chier les banques et leurs intérêts, qui ne sont certainement pas les nôtres. Mais comme le contrôle est quelque chose d'excessivement épuisant pour qui le pratique — il faut avoir des yeux partout —, je compte sur leur épuisement pour m'en sortir intacte. Anna Prucnal danse sur sa dissidence et moi je ne sais pas danser, mais j'ai une passion terrible pour la dissidence, soutenue par un Mars en Scorpion. Allez demander à ma pauvre mère si je suis contrôlable...

Octobre 1984

14

Y a-t-il un fantasme dans la salle?

OU
CONFÉRENCE INTERROMPUE

J'en conviens, c'est troublant. Mais je peux vous parler de l'amour. J'en arrive. Tout juste. J'en reviens. J'en reviens bien d'ailleurs. J'en reviens mal en point. Remplie de virgules, de guillemets et de parenthèses. Surtout de parenthèses. Je souffre de ponctuation. Mal en poing. Au point d'en avoir assez, ou trop. C'est pareil en ce qui concerne les atterrissages ratés, les faux retours de faux voyages. Je peux vous en parler. Longtemps et si peu. C'est pareil. C'est fou comme certains contraires deviennent synonymes en certaines occasions.

L'amour. Cet amour. Lieu par excellence de la fausse représentation. Faux théâtre. Fausses dents. J'ai mordu dans du vent. Fausse satiété. Mon ventre n'y a vu que du feu. Que du feu. D'ailleurs, c'était chaud. N'importe qui aurait pu s'y faire prendre. Chaud chaud chaud. Enrobé, brillant, bon à toucher, bon à goûter, à déballer. Jeux de jambes, de joues, de girouettes, de jambettes et de givre.

Finalement. Le givre. Parlons-en du givre. On ne m'y reprendra plus. Moi qui pensais que le givre était le summum de la cristallisation. La belle affaire. Cristal, faïence, porcelaine, craque, crack. Ramasse les miettes, ramasse les miettes. On n'en voit plus la fin. On en trouve sans arrêt, tout le temps, partout. Curieusement, ça éclabousse. Comme de l'eau. Un genre d'écoulement par le milieu. Toujours par le milieu. L'amour est terriblement centré. Centriste? Centralisé? Centralisateur? Central? Une gare avec une seule destination. Pas le choix. Pas envie d'aller là. Bobo maman, béquer bobo. Je le referai plus. J'attends d'en mourir. De ça ou d'autre chose. D'ailleurs...

Un instant S.V.P.

Pardon? Qu'est-ce que vous me voulez? Ahhhhh . . Oui, oui. Bien sûr. Bien sûr qu'on s'est déjà vues. Je n'ai fait que ça dans ma vie, vous voir. Vous.

Voulez-vous que nous partions? Ensemble? Dans des îles, des archipels, des mégalopoles ou des déserts? Qu'importe? dans des lagunes, des rues à boutiques ou des cavernes? Qu'importe? Pourvu que vous y soyez, vous. Et que je puisse écrire.

On nous cherchera. Qu'importe? Nous n'étions peut-être pas des personnes à trouver. Aimez-vous le sable? Nous en aurons. Aimez-vous la mer? Nous en aurons. Aimez-vous le cœur de Rome? Nous en aurons du cœur, nous ne connaîtrons que ça, le cœur. Et puis je n'ai jamais vu Londres. Je n'ai jamais rien vu avec vous. Ai-je déjà vu? À Mirabel, immédiatement après la conférence, nous prendrons le premier avion qui part. Sur-le-champ. Tout presse maintenant que nous nous connaissons.

Nous irons vivre et ne rien savoir. C'est tout. Nous refaire une santé ou plusieurs si on en a besoin. Hors médias. Appel minimum, regard maximum. J'ai entendu dire qu'on nommait ce genre de voyage un «nowhere». Expression facile. Nous savons très bien où nous allons, n'est-ce pas? Nous n'avons jamais rien su d'autre. N'est-ce pas? Ce qu'on va rire!

Je vous reviens tout de suite. Ne bougez pas. Je termine ma conférence.

Qu'est-ce que je disais?...

Novembre 1984

Illustration: Marie-Josée Lafortune.

15

Y a-t-il des questions dans la salle?

OU
COMMENT COMMENCER
SA PROPRE *BLACK-LIST*

J'ai trouvé le titre de cette chronique dans l'autobus Voyageur qui me menait de Montréal à Jonquière le 25 septembre. Il fallait que j'essaie d'oublier que je savais qu'on pouvait faire en avion, en 50 minutes et 216 $, le parcours que j'étais en train de faire en 7 heures et 61,80 $, et que, dans le même temps en avion, j'aurais pu être à Paris. C'est dur d'oublier quand on est prisonnière d'un moyen de transport antédiluvien — inadmissible en 1984 à l'ère des ordinateurs et de Columbia — qui brasse de tous les côtés même si on se dirige en principe seulement vers l'avant (on serait plus à l'aise dans un *blender*)... et qui sent la charogne, comme dirait ma mère, c'est-à-dire un mélange d'odeurs suspectes qui vont de la sueur générée par l'ennui profond jusqu'aux relents de latrines, en passant par les p'tits pieds. Et j'en tais de meilleures encore, au cas où vous seriez en train de lire *La Vie en Rose* en mangeant.

En plus, l'espace vital est réduit à sa plus simple expression quand on a le grand bonheur d'être assise à côté d'un gros homme qui respire trop fort, qui ronfle quand il s'assoupit et qui écarte les jambes au maximum pour être plus confortable. Avez-vous déjà remarqué comment les hommes ont un sens de l'espace très différent de celui des femmes? Dans le métro, par exemple, regardez les hommes assis, jeunes ou vieux, qu'on soit à l'heure de pointe ou non: 98 p. 100 ont les jambes écartées. Ils prennent *toute* la place. Leur aura a l'air plus large que la nôtre. Ou c'est leur sens du territoire. Allez savoir. De quatre choses l'une: 1. «Faut que ça respire ces affaires-là», comme dirait Clémence; 2. ils ont quelque chose de trop entre les jambes qui les gêne, ou, au contraire; 3. ils veulent montrer qu'ils ont *ce* fameux quelque chose entre les jambes; 4. ils sont simplement grossiers et sans aucun raffinement. Au choix. La réalité doit être un mélange équitable des quatre suppositions.

Mais pour en revenir à l'autobus Voyageur, j'éprouve une terreur panique à l'idée de me retrouver coincée entre deux grandes jambes écartées et la paroi glacée de la fenêtre qui ne s'ouvre malheureusement pas, en essayant de me souvenir au plus sacrant de la position fœtale expérimentée il y a 32 ans. Marie-Christine, que j'ai rencontrée dans le même autobus, m'a fait part de la même hantise. On doit être plusieurs femmes à cauchemarder sur ce sujet. Marie-Christine, ayant été obligée de prendre l'autobus Ottawa/Montréal/Ottawa/Québec/et Dieu sait où depuis les quatre dernières années, songe à demander sa béatification lors de la prochaine visite papale, puisqu'il a promis de revenir quand il est (enfin) parti. (On ne lui avait pourtant rien demandé à celui-là. C'est un homme aux initiatives coûteuses et encombrantes.)

En plus, dans l'autobus du 25 septembre (heureusement que j'ai pris cet autobus sinon il n'y aurait pas eu de chronique...), il y avait derrière moi (où pouvait-il être sinon derrière moi?) un jeune crétin qui n'a pas arrêté de délirer. Son discours à prétentions philosophiques aurait fait le bonheur d'un psychiatre. C'était un beau cas de sofa, les symboles jaillissaient de sa bouche comme le pétrole d'un puits en Arabie Saoudite. Une «plaie d'Égypte», comme dirait ma mère qui a toujours eu le sens de l'expression un peu excessive. J'ai de qui tenir. «La Lune, ça n'existe pas. C'est le Soleil qui existe, et le Soleil seulement. La Lune n'est que le reflet du Soleil», disait-il. Et encore: «Le féminisme est contre nature. Les femmes ne sont pas féministes seulement pour ne pas faire la vaisselle, mais parce qu'elles ne veulent pas des hommes.» Et quand on sait que la Lune symbolise la femme... Je vous jure que je n'invente rien. J'ai pris des notes malgré le brassage de machine à laver de l'autobus.

Mais, en fait, ce n'est pas à cause de lui que j'avais trouvé le titre de ma chronique. C'était à cause des journalistes de tous les médias lors de la couverture de presse de la visite papale. J'avais songé en premier lieu à l'intituler *Y a-t-il un crétin dans la salle?* Mais j'ai eu peur du libelle diffamatoire, *La Vie en Rose* n'ayant pas les moyens d'y faire face et moi non plus, au cas où j'aurais eu envie de nommer des noms. Je voulais simplement poser quelques questions en vue d'ouvrir une *black-list* permanente, régulièrement revue et corrigée, sur toutes sortes de sujets et avec toutes sortes de noms, pour qu'on commence à jouer dur. En voici quelques exemples:

Y aurait-il lieu de demander un décret gouvernemental transformant tous les autobus Voyageur en cabanes à patates frites? Depuis quand le cardinal Léger est-il assez sénile pour se prendre pour l'Immaculée Conception? (voir entrevue dans *La Presse*, début septembre 1984.) Les journalistes sont-ils trop syndiqués ou trop bien payés pour faire une couverture sensée de la visite du pape? Leur crétinisme est-il directement proportionnel aux salaires qu'ils gagnent? Qu'ont-ils fait, pendant

10 jours, de la sacro-sainte objectivité dont ils se gargarisent d'habitude à pleines pages et à pleines ondes? Ont-ils tous été touchés en même temps par la grâce de la Vierge et du Saint-Esprit? Y a-t-il des journalistes au Québec? Reagan existe-t-il pour vrai ou est-il une expiation que le bon Dieu envoie aux Américain-e-s pour les punir du Viêt-nam? La rangée de gars qu'on voit à l'émission *Le Point* est-elle une réédition du *Concours du plus bel homme* ou une carence en présence féminine? Croyez-vous au *Gala de l'ADISQ* ou est-ce seulement une autre faillite de Guy Latraverse? Roger Duhamel de *La Presse* est-il en réalité un serpent à sornettes ou un gars qui a mal au foie? (voir article sur Simone de Beauvoir dans *La Presse* du 5 octobre 1984).

Et ainsi de suite. Je vous invite à constituer votre propre *black-list* et à éviter comme la peste l'autobus Voyageur, ses odeurs et ses psychopathes ambulants...

Janvier 1985

16

Y a-t-il un taxi dans la salle?

OU

PLAIDOYER POUR UNE LIBÉRATION
DE LA FRANCE, DES FRANÇAISES
ET DES FRANÇAIS (TROIS RÉALITÉS
COMPLÈTEMENT DIFFÉRENTES)

La société française ressemble au métro de Paris:
l'usagère doit ouvrir les portes elle-même, mais elle
ne peut pas les refermer parce qu'«on» se charge de les
refermer automatiquement. C'est la même chose dans
les magasins: on pense que les vendeurs et les vendeuses
sont là pour nous servir, mais en fait ce sont des murs
déguisés en vendeuses.

Même chose dans les taxis: on pense naïvement
que, quand quelqu'un choisit de faire un métier public,
il choisit de rendre service aux autres contre rémuné-
ration, en autant que le ou la cliente soit endurable.
Erreur: les taxis sont des autos qui passent et qui vous
amèneront à l'endroit où vous allez si par hasard elles y
vont elles aussi et si vous ne fumez pas. Autrement,
«tintin» comme ils disent (aucun rapport avec Hergé). Et
si vous avez le malheur d'avoir une sacoche assez grosse
pour avoir l'air, de loin, d'une valise, le tarif vient
d'augmenter de quatre francs. Chercher des clients?
Quelle horreur! Il devrait y avoir une association des

client-e-s chercheurs de taxis (A.C.C.T.) et à leur place, je descendrais dans la rue.

Ce n'est peut-être pas un hasard de l'imaginaire si j'ai toujours trouvé que les Présidents de la République ressemblaient tous à des rois. Pour moi, cette prestance, cette superbe et ce verbe pompeux sont l'apanage des rois français. J'essaie d'imaginer René Lévesque en Louis XIV et je croule de rire pendant des heures (même s'il agit comme Napoléon). Et ils viennent tous, ou à peu près, de la grande bourgeoisie, quand ils ne portent pas la particule magique de leurs origines nobles: de Gaulle, Giscard d'Estaing et quelques autres. Le président de gauche vient lui aussi de la bourgeoisie de Jarnac, un bled obscur de Charente qui a le grand bonheur de se trouver près de Cognac et de l'argent qui pousse dans les vignes.

Moi je crois que les Français s'ennuient pour mourir de la royauté et qu'ils regrettent beaucoup d'avoir fait la Révolution. Ils ont perdu la tête avec cette Révolution: ils ne pouvaient continuer de tolérer qu'un seul des leurs soit roi alors que tous les autres auraient pu l'être aussi («52 millions de prétendants», comme dirait le chanteur Renaud). Ils ne doutent de rien.

Ce n'est pas pour rien qu'ils ont pratiqué l'impérialisme aussi longtemps. Et même s'ils ne sont plus dans la course depuis belle lurette, ils continuent de penser qu'ils sont encore les meilleurs et les plus forts. Ils continuent de vivre sur une réputation qu'ils n'ont plus. Ça fait mal un peu quand on y a cru longtemps parce qu'ils écrivaient les livres qu'on lisait et les chansons qu'on écoutait. Pourtant, même en 1984, nos livres continuent à avoir du mal à se faire distribuer en France, pendant que les éditeurs français inondent notre marché de leurs milliers de titres par année. Même chose pour les disques et pour les spectacles. Et quand un-e Québécois-e, d'arrache-pied, réussit en France, on se le fait reprocher («Nous sommes envahis par les Québécois!») ou alors ils s'en emparent et s'il a réussi, c'est grâce à eux. Quoi, Brel était-il Belge? Accident de naissance. Comment peut-on ne pas être Français? Ils aspirent, assimilent et protègent tellement bien leur marché que leurs ordinateurs ne sont compatibles qu'avec les leurs.

La France a déjà été le nombril du monde, elle s'en souvient très bien, elle l'a écrit partout pour ne pas qu'on l'oublie, même si aujourd'hui elle est à peine le nombril d'elle-même. Elle n'a pas été capable d'empêcher *McDonald's* de s'installer sur les Champs-Élysées, ni le *fast-food* de se propager comme la gale à la grandeur de Paris et du reste du pays. Elle ne proclame pas bien haut que les compagnies de Cognac qui faisaient sa fierté appartiennent maintenant à des intérêts allemands ou américains. Elle continue de faire semblant. Mais les radios «libres» jouent maintenant de la musique anglaise ou américaine en très grosse majorité et les jeunes parlent une langue tout aussi trouée par les Américains que leur marché.

Les Français fantasment sur l'Amérique mais détestent les Américains. Ils savent tout du sexe, mais pratiquent le sexisme comme un sport national. Ils aiment les femmes, mais on ne voit pas beaucoup de femmes seules se promener à Paris après neuf heures du soir alors qu'on traverse des murs de gars. Ils savent tout de la politique, ils savent tout de la Révolution, mais continuent d'entretenir les hiérarchies et les classes sociales comme ils entretiennent l'argenterie de famille. Ils sont libertaires, mais si on boit un café avec du lait après un repas, on se fait dire qu'on est des foutus étrangers incapables de s'intégrer à la société qui les reçoit. Ils savent tout sur tout mais la mode ne leur appartient plus, la pensée non plus. Leur société se sclérose et ils ne s'en rendent même pas compte.

Et je n'ai pas parlé de leur administration, de leur rapport à l'argent, de leur racisme et de leur individualisme à tout crin, rengaines trop connues.

Vous aurez compris que je reviens de Paris et que, finalement, après 15 ans de fréquentation, la société française m'a tout à coup exaspérée complètement. Il y a des Françaises et des Français que j'aime, mais de deux choses l'une: ou ils détestent la France, ou ils habitent au Québec. Il serait peut-être temps de renvoyer l'ascenseur au successeur de feu de Gaulle, et d'aller sur le balcon de l'Élysée crier «Vive la France libre»... d'elle-même.

Mais Paris est tellement belle...

Février 1985

NOTE DE 1988:

Cette chronique est la seule qui a provoqué un tollé de protestations. Je me suis fait traiter de tous les noms, de raciste surtout, percluse de lieux communs. Pierre Bourgault m'a crié, d'un bout à l'autre de CKAC, de sa voix de stentor: «Es-tu virée folle?» Où était passé mon humour? Étais-je à la veille de mes menstruations? J'en passe, et des meilleurs.

J'ai donc été un peu forcée de répondre dans le numéro d'avril suivant. J'ai été obligée de rappeler que la tendresse n'était pas le but premier de cette chronique, et que j'étais là pour tirer des roches, casser des vitres et mettre des «braquettes» sous les pieds (nus) des passant-e-s. Voilà. Je me demande quand même pourquoi personne n'est jamais venu, de la même façon, à la rescousse de Georges-Hébert Germain, de Robert Bourassa, de Jean-Yves Desjardins, des hommes en général, pour ne nommer que quelques-uns (!) de mes têtes de Turc. Probablement parce que ni l'un ni l'autre n'est Français... (Soyons raciste jusqu'au bout, cette chronique était certainement, en plus, un plan de Nègre... «Petite Juive», aurait dit ma mère.) Dans cette chronique, j'avoue que je n'ai pas réussi à dépasser l'exaspération pour arriver à l'humour. Une fois n'est pas coutume. J'essaierai de faire mieux — ou pire — la prochaine fois.

Dans la chronique de juin 1985 je parlai des Québécois-es: «Y a-t-il un misérable mouton dans la salle?» Je ne reçus *aucune* lettre de protestation. Il y avait pourtant là une joyeuse collection de lieux communs... mais je n'étais plus raciste, j'étais critique!

---

(17)

Y a-t-elle une féministe dans la salle?

OU
«QUE DE SOUVENIRS, QUE DE SOUVENIRS[1]...»

Chère Marianne, chère lâcheuse,

Je profite de la Décennie des femmes pour revoir avec toi les 10 dernières années de *fun* vert que nous avons passées à militer ensemble. Toi, tu as eu ton voyage plus vite que moi, et j'espère que tu ne t'ennuies pas trop à Sainte-Anémone-de-Résurgence entre tes 12 poules, ton coq, tes 18 chats, ton élevage de visons et tes 8 chèvres. Ça profite, ce petit monde-là!

Ce n'est pas comme nous. On sera toujours aussi cassées vu que le militantisme féministe ne fait partie d'aucun plan de carrière, que ce n'est pas une *job*, — ça nous fait un moyen trou dans notre *curriculum vitae*! — et que, de toute façon, ça paraît mal de dire qu'on a été militante féministe pendant 12 ans, surtout pour solliciter un poste au Conseil du statut de la femme ou au ministère de la Condition féminine, d'après ce qu'on m'a dit. Il paraît que d'être militante féministe nous met en conflit d'intérêts dans ces endroits-là, et qu'elles préfè-

---

1. Phrase empruntée à un monologue de Clémence.

rent engager des filles qui n'ont pas trop servi parce qu'elles ont encore leurs illusions, leur complète naïveté et leur capacité d'étonnement. Ah! ah! ah!

Faut dire que nous, on a la couenne dure, même si de temps à autre on agit comme si on avait un cœur de midinette et non de suffragette (surtout en amour), parce que ça repose de *ne pas* se poser de questions pendant cinq minutes par jour. (Plus que ça, on angoisse. On fait le contraire de tout le monde en somme.)

Que de réunions, que de colloques, que de manifestations. (Entre toi et moi, heureusement que ç'a diminué!) Que de souvenirs...

As-tu déjà calculé les heures qu'on a passées en réunions pendant 12 ans? C'est phénoménal. On devrait se faire enregistrer au livre des records Guiness, ça nous ferait au moins un diplôme! T'en rappelles-tu comme j'haïssais ça marcher, en hiver comme en été, mais j'étais pareil de toutes les manifs à cause de mon maudit sens du devoir. Heureusement qu'on avait déjà réglé leur cas aux bas de nylon, sinon on se serait gelé les cannes! Que de corne sous les talons, que d'ampoules, que de souvenirs...

On générait tellement d'ampoules d'une manif à l'autre qu'on aurait pu alimenter Hydro-Québec pendant quelques décennies. Ils n'auraient pas eu besoin de construire tant de barrages et de se mettre les Indiens à dos en plus de nous détruire le Nord au grand complet. Moi, je te jure, je devais en avoir d'au moins 200 watts à certains moments. Mais, comme tu sais, nous leur avons fourni la lumière sur un autre plan! Ils sont en maudit parce qu'on a allumé la lumière et qu'on ne veut plus la refermer. Ça leur coûte cher en électricité!... En plus, on est parties avec le commutateur! Ils ne peuvent plus dormir parce que la lumière est toujours allumée! Ah! ah! ah!

Que d'éblouissements, que de souvenirs... T'en rappelles-tu, au début, à l'époque de «Vous LA femme»? C'était-tu fatikant d'entendre toujours parler de nous au singulier (c'est vrai qu'on était singulières...!) comme s'il n'y avait qu'une seule femme concernée. *La* femme par-ci, *La* femme par-là... On a-tu cherché laquelle c'était! Dire qu'après 10 ans, il y a des attardé-e-s qui le disent encore. Que de dénonciations, que d'engueulades, que de communiqués de presse, que de souvenirs...

T'en rappelles-tu comment on s'est «enfargées dans le poil» aussi, dans les débuts? J'avais fait une dermite parce que mes jambes n'étaient plus habituées au poil. Le médecin m'avait dit que c'était causé par l'angoisse. Alors je lui avais répondu: «Si je comprends bien, je fais de l'angoisse sur les jambes?» N'empêche qu'à force d'économiser sur la lame de rasoir, la mousse à raser, le *Neet*, la cire ou l'esthéticienne (ça coûte cher en maudit), ça nous a permis de nous acheter plus de livres de femmes (ça coûte cher en maudit aussi, je connais des éditeurs qui devaient être morts de rire pendant la montée du féminisme...). T'en rappelles-tu, à cette époque, on était capables de lire *L'Euguélionne* en trois jours alors que raisonnablement ça aurait dû nous prendre deux semaines. Que d'enthousiasme, que de nuits blanches, que de souvenirs...

T'en rappelles-tu, dans les réunions, on n'osait pas parler quand on n'était pas d'accord? J'avais appelé ça «le syndrome du *blender*». Il y avait des filles tellement pressées de comprendre qu'elles passaient tout dans le *blender*: il fallait que rien dépasse et que tout le monde pense pareil. C'était-tu fatikant! C'est-tu ennuyant de toutes penser pareil!

Il y en avait d'autres aussi qui mesuraient le taux de féminisme dans chaque femme comme on mesure les tremblements de terre sur l'échelle Richter, de 0 à 10, comme jadis certains groupes de gauche étaient capables de mesurer le taux de bourgeoisie, de conviction politique ou de prolétariat au mot près. Les curés faisaient pareil pour mesurer le taux de foi chez leurs zouaves. «J'aguis» ça être mesurée. Ça me met sur un stress incroyable. Encore aujourd'hui je ne vais pas m'acheter de brassière à cause de ça. Que de belles «ostinations», que de beaux collectifs...

Parce qu'on pensait que personne menait, que tout le monde avait une influence égale dans les décisions... Ça permettait à certaines de se déresponsabiliser dans le collectif, et à d'autres de nous faire accroire qu'elles n'étaient pas en train d'exercer un pouvoir. Comme si les *leaders* naturelles n'existaient pas. Que d'illusions, que d'énergie perdue, que de souvenirs...

N'empêche que ç'a eu du bon, faut pas cracher sur les collectifs. Après, ça fait du monde solide, capable de faire face à n'importe quoi! T'en rappelles-tu quand la politesse a foutu le camp et qu'on est devenues grossières? Quand on s'est mises à traiter Guy des Cars et Jean-Paul II de séniles, Jean-Yves Desjardins d'impuissant et Georges-Hébert Germain de taon? Et c'est rien ça, ce sont les insultes les plus polies. Il y en a que je n'ose même pas écrire tellement elles sont salées. Que ça faisait du bien! Aujourd'hui, on doit se retenir un peu plus à cause de l'image et du *marketing*, mais on n'en pense pas moins!... Que d'impolitesse, que de grossièretés, que de souvenirs...

Pis toute la vague d'auto-défense, les cours de Wen-Do, toutes ces planches qu'on a cassées en s'imaginant que c'était le cou de Philippe Sollers ou les jambes de Jean-Yves Desjardins. Que d'agressivité défoulée, que de muscles... C'est étonnant qu'avec toutes ces techniques de défense il n'y ait pas eu plus d'hommes battus! Comme disait Benoîte Groult: «Qu'est-ce qu'on a été gentilles!» Ils ont beau traiter les femmes de castratrices, n'empêche qu'ils devraient se rendre compte qu'il n'y en a pas beaucoup qui ont été castrés pour vrai! Ni battus, ni violés, ni tués en série, ni mutilés, ni rien. Je me demande encore aujourd'hui de quoi ils ont peur. Ça continue de me mystifier. Leur pouvoir est-il quelque chose de si important qu'ils crient à la castration quand on y touche? Je me doutais bien que leur sexe servait à autre chose. On est rarement fourrées là où on pense! Ah! ah! ah! (Que ça fait du bien une petite farce cochonne de temps en temps.)

T'en rappelles-tu quand on s'est mises à parler de nos ovaires et de notre clitoris? Et que le monde aimait pas ça. Que de gêne, que de pudeur, que de souvenirs... Et la jouissance! On est venues tellement mêlées à un moment donné qu'on savait même plus qui on désirait. C'est là que nos *chums* ont commencé à nous faire les gros yeux parce qu'on se mettait à *cruiser* la voisine ou à regarder nos amies de trop près! Même Pauline Julien s'est mise à chanter «j'pensais jamais que j'pourrais faire ça, danser avec mon amie d'fille, sentir monter le sensuel, et aimer ça à part de d'ça». Que de mélanges, que de malentendus, que de souvenirs...

On s'est battues pour rapetisser les gros mots mal employés, comme frigide, hystérique, névrosée, folle, et j'en passe. Par contre, on a vu apparaître des nouveaux mots comme sexage, sexuation, et on s'est mises à féminiser les termes. On a refusé d'être noyées dans le genre masculin. Alors, ça donne des affaires comme: «Les étudiant-e-s concerné-e-s devront remettre leurs travaux-elles aux enseignant-e-s syndiqué-e-s qui doivent rendre des comptes aux directeurs-trices de leur département». Et on dit que ça alourdit une phrase! Voyons donc... Que de mauvais genres, que de problèmes de grammaire, que de souvenirs...

Bon, avec tout ça, je vais être en retard à ma thérapie. Parce que tu sais que maintenant on a lâché les groupes pour l'individuel. En fait, on essaie de retrouver notre individualité. Appelons ça le *backlash* du collectif. Ah! ah! ah!

Pas besoin de te dire que ma lettre est confidentielle. Il ne faudrait surtout pas qu'elle tombe sous les yeux de Georges-Hébert Germain. On aurait l'air de quoi de se critiquer comme ça, entre nous? Et ne t'inquiète pas pour moi. Je continue d'infiltrer *La Vie en Rose* depuis trois ans et elles ne s'en sont pas encore rendu compte. Tout va bien.

Je t'embrasse, sororellement, comme on disait dans le temps.

* Avec la délirante collaboration de Marie-Claude Trépanier.

Mars 1985

Photo de la célèbre voisine d'en bas (alias Marie-Claude Trépanier), en train de m'espionner de sa galerie. Photo: Marc Pérusse.

18

Y a-t-il une sabbatique dans la salle?

OU
COMMENT RATER LE VIRAGE
TECHNOLOGIQUE

Je me ronge tellement les ongles — et les doigts qu'il y a autour — depuis six mois, que je vais finir comme la *Vénus* de Milo: je n'aurai jamais pu être moderne et je n'aurai plus de bras. (Si je n'ai pas réussi à perdre le poids que j'ai en trop, je mettrai dans mon testament qu'on m'expose dans un habit de *skidoo* et qu'on m'intitule «La Vénus de Milo du Nord».)

En fait, je fais une petite dépression depuis que je me suis fait poser sur le téléphone la merveilleuse invention de Bell Canada qui s'appelle poétiquement «la mise en attente des appels». Plus brutalement, je suis carrément en train de troubler, parce que, dorénavant, je ne peux plus jamais être occupée au téléphone. Je suis devenue complètement rejoignable et dérangeable et disponible. Je vendrais mon corps que ce ne serait pas différent.

Parce que maintenant, je peux recevoir deux téléphones pour le prix d'un. *En même temps.* Il fallait bien qu'on puisse me rejoindre puisque je passe mes journées au téléphone, ou plutôt, c'est le téléphone qui me fait passer *mes* journées avec lui. Je suis devenue son annexe. Sa chose. Il m'offre maintenant la possibilité de faire deux conversations presque en même temps, en respectant la confidentialité de l'un et de l'autre interlocuteur. Je passe de l'un à l'autre. Ou je suis avec l'un et j'oublie l'autre. Ou je suis avec l'autre et je coupe l'un accidentellement. Une affaire de rien. Ce système a été inventé pour nous faciliter la vie: la vie des autres qui me cherchent, pas la mienne. C'est ce que j'aurais dû comprendre quand je me suis extasiée sur les merveilles de la technologie.

Et puis, j'ai un répondeur automatique. Y a-t-il quelque chose de plus déprimant que de rentrer chez soi à trois heures du matin, un peu grise et heureuse de vivre, et de savoir qu'on aura 33 messages à retourner le lendemain matin? Comme si on n'avait pas le droit de sortir, de ne pas être là. Je suis en train de développer un délire paranoïaque contre le téléphone, ses pompes et ses œuvres, qui me fait penser que chaque *coup* de téléphone (le mot est très exact) est une agression caractérisée contre ma personne. Une «*voix* de faits», comme disent les avocats. Et les chanceux-euses qui ont eu le grand bonheur de me réveiller avec un téléphone le matin ne se remettront jamais de l'air glacial qui leur est entré dans l'oreille à travers ma voix: traumatisme violent ou otite chronique, aucun-e ne s'en est tiré-e indemne.

En plus, les Postes canadiennes viennent d'inventer la poste prioritaire qui commence à sonner à nos portes à huit heures du matin. On n'avait pas assez du courrier spécial ou du recommandé qui demande notre signature en robe de chambre, pas eu le temps de trouver ses lunettes, toute nue en essayant de garder sa décence d'une main endormie pendant que l'autre signe le papier du facteur qui, lui, est extrêmement réveillé. Essaye de te rendormir après, alors que les chats se dandinent devant leur bol, pensant que c'est l'heure de se lever, que le rêve est cassé en mille miettes dans lesquelles tu patauges nu-pieds parce que t'as pas retrouvé tes pantoufles,

et que le cœur te débat encore parce que la maudite sonnette a un son d'alerte aérienne comme l'Angleterre en
1940. Essaye. Même si tu t'es couchée à trois heures du
matin parce que tu as écrit jusqu'à épuisement vu que tu
n'es pas capable de le faire dans le jour parce que le téléphone sonne trop et te déconcentre.

Et, incorrigible, je rêve d'un micro-ordinateur. Ça
veut dire que je pourrai travailler deux fois plus vite,
trois fois peut-être. Que n'importe qui se sentira en droit
de me demander d'aller plus vite, d'être plus efficace, vu
que j'aurai investi dans l'efficacité. Les terminaux sont
des failles dans nos vies privées, j'en suis persuadée. Ils
font partie d'un complot qui vise à déstabiliser notre
équilibre personnel, de la même façon que les Russes ont
inventé la Lada pour déstabiliser l'économie occidentale
(les propriétaires passent plus de temps au garage qu'à
travailler).

Toutes ces choses dont on nous dit qu'elles sont là
pour nous faciliter la vie sont là en fait pour nous rendre
fous et folles. Même mon détecteur de fumée me contrôle parce qu'il m'interdit de rêvasser et d'oublier mes
toasts le matin. Il m'interdit de me faire des patates frites: il me trouve trop grosse, j'en suis sûre. Il sonne, il
sonne sans répit tant que je n'ai pas été chercher l'esca-
beau pour le décrocher, l'ouvrir et le déconnecter. Une
affaire de rien.

Le virage technologique me fait penser aux routes
étroites et dangereuses de la côte amalfitaine en Italie:
mais sans la Méditerranée en bas.

SIGNÉ: JE CRAQUE

Avril 1985

Note de la voisine d'en bas: Ma voisine d'en haut m'a demandé de faire suivre son courrier à l'adresse suivante: Hôpital Hippolyte-Lafontaine, suite 459, près du tunnel. Elle a viré avec le virage, mais sur le *top*...

NOTE DE 1988:
Après la parution de cette chronique, quand je suis sortie de l'hôpital, j'ai remarqué avec perplexité que le téléphone ne sonnait plus chez moi. Je me demande bien pourquoi...

―――――――――――(19)―――――――――――

Y a-t-il un régime dans la salle?

SOCIALISTE, PÉQUISTE OU SCARSDALE?...

Montréal, 28 mars 85

Ma chère S.,

J'ai très hâte à vendredi soir parce que ce soir-là je vais *rien* faire. C'est prévu. Je vais seulement rencontrer Marie-Hélène pour lire le régime Scarsdale avec elle au cas où on réussirait à s'encourager au niveau de la perte de poids. (Tout le monde emploie cette expression «au niveau de», alors je l'essaie de temps en temps pour comprendre pourquoi. À ton avis, l'ai-je bien utilisée dans cette phrase? Je devrais peut-être dire «dans le cadre de» la perte de poids, qui est également une expression très portée en ce moment.)

«Fat is a feminist issue», dit un célèbre livre américain. «Dans l'cul!» je réponds, aux prises avec de non moins célèbres livres... en trop. Le mois de mai, celui de Marie, est arrivé, et avec lui le syndrome du costume de bain, la névrose de la peau à griller et la psychose des yeux des autres. Et plus on a de la surface à griller, moins on a tendance à la montrer, et plus on voit le derrière de tête du monde plutôt que leurs yeux convoiteurs. (J'ai toujours été très forte au niveau des théorèmes de ce genre et aussi au niveau de la taille, depuis quelques années, funestes entre toutes.)

Alors je prends les grands moyens. Je serai mince comme un fil (à tout le moins comme une corde...) à ton retour fin mai. Combien tu gages? Tu ne me reconnaîtras pas à l'aéroport. Ce sera bien parce qu'on pourra refaire connaissance, et je me ferai présenter à toi par quelqu'un qui nous connaît toutes les deux et que j'avertirai avant. Fais ta mise. J'ai besoin de *challenge*, comme tu peux le constater. Perdrai-je deux livres? Quinze livres? Trente livres? À mon avis, c'est 140 que je devrais perdre. Je traverse une petite dépression, excuse-moi. Au lieu de perdre du poids, de ce temps-là, je perds du moi. Lourd[1]!

Dis-moi: «T'es pas *game*.»

«Comment ça j'suis pas *game*?», que je répondrais. Tu vois, l'orgueil marche bien mieux que la volonté qui n'a jamais fait ses preuves dans mon cas.

Tu n'en reviendras pas quand tu reviendras.

Je serai rayonnante avec la tête haute, et peut-être même que je porterai des robes avec un sourire irrésistible au niveau de la face, et que j'aurai plus le goût de porter des affaires de fille. Peut-être. Je ne peux pas savoir quel genre de choc culturel je vivrai quand je serai mince. J'irai peut-être jusqu'à porter des talons au niveau des pieds parce que je serai plus sûre de moi quand je marcherai, et je mettrai du khôl parce qu'on m'aimera beaucoup. (J'ai toujours été vaguement mégalomane.) On me prendra pour une autre et j'aimerai ça. Peut-être même que je changerai de nom et que j'arrêterai de me ronger les ongles et les doigts parce que ma fixation

---

1. *Heavy!*

orale aura maigri avec le reste. Et, de toute façon, j'aurai moins de peau à bouffer au niveau des doigts...

Tu penses que je délire? Que je vire obsessive? Erreur. Tu verras. Je vais pouvoir enfin regarder mon miroir dans les yeux vu que, actuellement, il ne sert pas à autre chose qu'à vérifier ma coiffure (ce qui est un bien grand mot pour ces poils aussi délinquants que leur porteuse) et à me péter quelques boutons ou points noirs selon la période du mois. Alors il souffre de dévalorisation, je lui trouve mauvais tain...

Je n'ai jamais fait de régime de ma vie (ça paraît, d'ailleurs), il est temps que je m'y mette. À nous deux, monsieur Scarsdale. J'espère en tout cas que j'ai choisi le bon régime parce que je n'y connais rien. C'est exactement comme en politique: tout le monde se pose la même question en ce moment, au niveau du régime!

Pour faire exprès, au niveau de l'humiliation, je suppose que j'aurai engraissé de 15 livres quand on se reverra. Mais tu verras, tout le monde se claquera sur les cuisses en lisant cette lettre parce que, plus le propos est mince et plus le rire est gras. Surtout quand on vient de livrer son intimité au grand complet sur un plateau (c'est interdit l'intimité sur plateau dans Scarsdale...)

Je t'embrasse mais ne t'inquiète pas, je ne partirai pas avec un morceau de toi, je suis moins vorace qu'on le prétend.

P.S. Mais vu que je n'aime pas la maigreur excessive, je me garderai quelques rondeurs secrètes juste pour moi, ce «moi» que j'espère retrouver avant ton retour en vue d'une sorte d'égalité dans la rencontre. Si je n'existe pas, comment pourrai-je te retrouver? Logique.

Mai 1985

NOTE DE 1988:

Ma stratégie a bien fonctionné: à force de parler de mon excès de poids dans toutes les chroniques, les gens ont fini par croire que je devais peser dans les 300 livres au moins. Alors quand ils me rencontraient, ils me trouvaient très très mince. Sensation très satisfaisante.

Illustration: Diane O'Bomsawin.

20

Y a-t-il un misérable mouton dans la salle?

OU
TOUT CE QUI BRILLE EST HORS

Nouvellement raciste[1], j'expérimente des sensations voluptueuses et inédites qui me remplissent d'un nirvāna très païen. J'ai été ainsi baptisée (raciste) après avoir énuméré quelques défauts des Français-es — même pas tous — en oubliant malencontreusement leurs grandes qualités (j'aurais manqué d'espace). Alors, voici la preuve que je suis non seulement raciste, mais récupératrice à mort. Et si vous pensez que mes propos sur les Français-es sont un monument de méchanceté, tenez-vous bien: racisme bien ordonné commence par soi-même.

D'où me vient ce racisme subit? Il a bien commencé quelque part. Je cherche dans mes plates-bandes, dans les lieux communs abondants qui me poursuivent de leur mollesse vertigineuse (comme d'aucun-e-s l'ont déjà judicieusement observé), et je trouve: Québécois = petit = peureux = colonisé = porteur d'eau = rien du tout. Même pas égal à lui-même. Manque d'envergure.

---

1. À cause de ma déplorable chronique sur les Français de février dernier.

Peur de son ombre. Un peuple de concierges. Et si j'ai le malheur de tomber, par hasard, dans un taxi, sur l'émission de CKAC, *Les amateurs de sports*, j'ai l'impression affolante que tous les lieux communs ont raison d'un coup. Les amateurs en question, ceux qui téléphonent, n'en sont même pas aux premiers balbutiements du français. Parlons plutôt de borborygmes. Ils parlent de la nervosité de la *puck*, des trous dans le *net*, et pleurent sur les fragiles genoux de Svoboda (?). Les médecins devraient changer de public cible et prescrire des *Valiums* aux amateurs de hockey sur le gros nerf plutôt qu'à leurs femmes, épuisées par l'annuelle guerre du hockey.

Bon. Je vais me faire traiter d'intellectuelle. J'en mettrais ma main au feu. Le Québec est le seul pays au monde où le mot *intellectuel* est une insulte. Certain-e-s intellectuel-le-s même se défendent de l'être, comme si c'était une maladie honteuse. J'appelle ça le syndrome de Jean-Baptiste. Traitez-moi d'intellectuelle: j'aime mieux avoir un gros bleu sur la joue et être remarquée, que vivre esthétiquement parfaite mais enterrée de mon vivant.

Cette société n'est même pas fière de ses artistes, de ses créateurs et de ses créatrices. Au Québec, tout ce qui brille est *hors*, suspect. Pourtant, on se vante d'être l'un des pays au monde où il y a la plus forte proportion d'artistes par tête de pipe. J'en ai personnellement marre d'entendre cette affirmation gratuite quand je sais trop bien qu'on s'empresse de brandir nos artistes comme des drapeaux pour impressionner la visite, mais qu'on ne sait pas trop quoi faire avec eux et elles une fois la visite repartie. Les gouvernements préfèrent toujours donner les plus gros morceaux du gâteau aux producteurs et aux compagnies vu que les artistes sont des êtres irresponsables par définition, et que Dieu sait ce qu'ils et elles inventeraient s'il fallait les subventionner directement. Les producteurs, au moins, savent faire des déficits comme du monde, puisque ce sont des gens sérieux. Et parce que ce sont les artistes qui ont fait élire le Parti québécois, on sabre dans les budgets de la culture au Québec pour ne pas avoir l'air de faire du vulgaire patronage (ça n'existe pas, d'abord...), et on sabre également dans les budgets de la culture au Canada pour les punir d'haïr le fédéral. Ce genre de logique fait partie du patrimoine, on ne peut rien contre le folklore.

Pour finir, les jeunes qui, traditionnellement, ne veulent rien savoir, s'en mêlent. Dans *La Presse* du 18 avril, deux articles, sans aucun rapport apparent mais l'un sous l'autre, titrent: *Selon le Conseil de la langue française, les jeunes se soucient peu de la survie du français.* Puis, *10 000 étudiants se mobilisent pour la récupération du papier.* Donc, la récupération est plus importante que la langue, qui aurait pourtant elle-même bien besoin de recyclage. Plutôt qu'une grammaire, on leur propose une belle poubelle de papiers usagés. La langue en compote et le souci du *compost*. Bravo. Comme si c'était l'un ou l'autre. La prochaine génération sera sourde à cause des *walkmans* et autres sources de son à plein volume, et muette parce qu'elle ne pourra plus parler que par monosyllabes. Mais elle aura appris à ramasser le papier sur lequel *d'autres* auront écrit.

Alors, la langue au panier avec le papier à recycler, et vive l'Amérique enfin uniformisée, enfin nivelée. On pourra enfin suivre Oncle Sam, se mêler à la foule de ses nombreux disciples, sans avoir à survivre en français à tout moment de la journée. C'est fatigant à la longue. Les années Mulroney à venir semblent vouloir nous amener le repos... éternel, en tant que 52e État des États-Unis.

Quand il est reparti à la mi-mars, *the Irish guy was smiling* dans sa barbe parce que le Québec est le seul pays au monde où il ne peut pas faire d'insomnie: il vient de tomber dans une talle de moutons à compter, chefs d'État québécois et canadien en tête de troupeau. Aucune pénurie en perspective...

HÉLÈNE «PETROWSKI» PEDNEAULT

P.S. Avec cette chronique, je devrais pouvoir enfin entrer dans le C.D.L.M.S.P.E. (le Club de la méchanceté, section presse écrite), avec mes collègues admiré-e-s Nathalie Petrowski et Pierre Foglia. À moins qu'il et elle ne me refusent sous prétexte que je ne suis pas encore assez méchante. Je pense que je ne peux guère faire mieux, sauf quand je parle de Luc Plamondon. Mais je remarque tout à coup que les journalistes les plus méchants ne sont pas des Québécois-es pure ceinture fléchée, moi-même étant à moitié italienne. Que les étrangèr-e-s sont donc méchant-e-s avec les Québécois-es... Tous et toutes des racistes.

Juin 1985

Illustration: Christine Lajeunesse.

---

(21)

Y a-t-il un dictionnaire dans la salle?

OU
COMMENT JE VIS MA FIXATION ORALE

Ma voisine d'en bas me téléphone: «As-tu une carotte à me passer?» Perplexe, je réponds: «Qu'est-ce que tu veux dire par carotte?» Elle sait pourtant que je n'ai jamais rien dans mon frigidaire. Pourquoi me demande-t-elle, à moi, une carotte? Et pourquoi juste *une* carotte? Pourquoi pas plusieurs? Qu'est-ce qu'elle veut faire avec *une* carotte? Le mot carotte veut-il bien dire la même chose pour elle que pour moi? Y a-t-il un autre objet que je ne connais pas et qui s'appellerait aussi carotte? On n'est jamais assez prudente avec le vocabulaire. Les mots sont des gouffres sans fond, des fossés à côté desquels le Grand Canyon fait figure de simple craque dans le plancher. «Mais voyons, Hélène, une carotte c'est une carotte! J'en ai besoin d'une seule pour une recette que je suis en train de faire.» J'ai réussi à mêler ma voisine d'en bas: je ne sais pas si elle va pouvoir terminer sa recette tellement je l'ai perturbée. Le pire, c'est que j'ai répondu non sans vérifier, mais j'avais un sac complet de carottes, ces genres de bâtons orange qu'on mange crus ou cuits selon les goûts et les modes en cuisine.

Quand j'ai raccroché, je me suis rendu compte que je ne savais plus le sens des mots, même les plus courants. J'étais découragée. Mais c'est vrai qu'il y a de quoi être mêlée. Essayez donc de dire le mot «chatte» devant un Français un peu lubrique. Ça ne passe pas sans un sourire ou une phrase à double sens obligatoire. Les gens ne pensent plus, ils *arrière-pensent*. Ou les mots sont dirigés directement en bas de la ceinture, ou alors ils sont dirigés directement au cerveau, froids, cliniques, imbuvables. On saute par-dessus le milieu de ce temps-là. Justement là où est le cœur. Moi-même, quand je lis ou entends l'expression «avoir les yeux bandés», je ne peux pas m'empêcher de voir des yeux sortis de leur orbite, allongés, durcis. C'est rendu que je ne suis plus capable de savoir si j'aime mes ami-e-s, si je les affectionne, si je les désire, ou si je les chéris. Un peu de tout ça, rien de tout ça, une seule de ces réponses? Je n'ai plus aucun discernement. Alors, non seulement on vient mêlée dans les mots mais aussi dans les sentiments.

Suite logique: quand on n'est plus capable de rien nommer comme du monde, on finit par se tromper de réalité. Et on se retrouve dans la fiction à temps plein. «Je t'aime.» Bientôt, on se fera répondre à tout coup: «Qu'est-ce que tu veux dire par là?» «Je te désire.» «Quoi, encore quelqu'un qui veut quelque chose de moi! Veux-tu dire intellectuellement ou physiquement?» (J'aurais envie de dire: moi, c'est les deux, mais je ne le dirai pas. Personne n'a besoin de savoir que j'ai une conjonction Vénus/Mercure dans ma carte du ciel.)

D'ailleurs, c'est clair que les mots sont des problèmes: Denise m'a dit qu'elle avait lu qu'une femme sur trois au-dessus de 30 ans vit seule à Paris. Ici, ça doit être pareil.

On est rendus qu'on communique mieux avec des chats, une TV ou un sac de poubelle (plein, de préférence).

Quand on rencontre quelqu'un-e pour la première fois, il faudrait se faire un lexique avant d'aller trop loin.

Comme ça, on pourrait chercher et *trouver* le sens des mots de l'autre. Un dictionnaire par individu-e que ça prendrait. *Larousse, Quillet* et *Robert* ont complètement raté leur coup. Leurs dictionnaires ne servent à personne. Déjà qu'avec la loi 101 et la fierté nationale il avait fallu se rappeler qu'un *hood* c'est un capot, qu'un *dash* c'est un tableau de bord, et qu'un *bumper* c'est un pare-chocs. Des grands mots comme ça! Nos vies avaient changé boutt pour boutt. Maintenant, il semble qu'il va falloir se souvenir de tous ces mots bénis (et anglais) de notre enfance heureuse. Un autre *U-turn* en perspective. Et c'est là qu'on se demande si ce sont les structures de cette société qui rendent le monde paranoïaque, ou si c'est chaque individu de cette société qui devient de plus en plus paranoïaque et qui fait que toute la société a l'air paranoïaque au grand complet.

Tiens, un mot «psy». C'est fou la vitesse fulgurante avec laquelle les mots de la psychiatrie sont entrés dans notre vocabulaire de tous les jours. Ce ne sont pourtant pas des mots anglais! En se faisant cuire un œuf, aujourd'hui, on peut très bien dire «je suis tellement névrosée» sans que la personne qui nous écoute rie aux larmes. Ou de quelqu'un que c'est un psychotique parce qu'il tarde à payer son compte de téléphone. Ou que c'est une schizophrène parce qu'elle aime être chez elle. Des choses comme ça. C'est le temps des gros mots écrasants pour décrire les petites réalités banales. Et on n'emploie jamais les mots impunément. À force de les dire sans y penser, on finit par les vivre.

D'ailleurs, je vous préviens: tous les mots que je viens d'employer pour cette chronique ne sont pas les bons. Ils veulent dire autre chose que ce qui est écrit. Cherchez.

Je rêve d'une société muette où les gens devront se toucher pour se parler. Mais il paraît que même les gestes sont suspects. On peut les interpréter de mille et une manières et se faire demander autant de comptes que pour un mot incompris. Que faut-il faire si on ne veut pas être *la* femme sur trois qui vit seule? Je n'en ai aucune idée. Laissez-moi seule avec ma fixation orale...

Septembre 1985

Illustration: Christine Lajeunesse.

22

Y a-t-il une primeur dans la salle?

OU
CONFESSION SIMULTANÉE DU *TITANIC*
ET DE SON ICEBERG

Je suis née exactement 40 ans après le naufrage du *Titanic*, un 14 avril. Cette coïncidence m'a toujours vaguement perturbée. J'ai eu longtemps, et encore maintenant aux pleines lunes, des allures de naufrage qui se cherche un endroit pour arriver. Dans mes moments de dérapage intense (comme en ce moment), je vais même jusqu'à penser que je suis, ou la réincarnation du *Titanic* ou celle de l'iceberg qui a naufragé le *Titanic*, puisqu'ils se sont rencontrés un 14 avril, à une heure qu'on peut aisément qualifier de fatidique. J'ai appris cette malencontreuse coïncidence très jeune: nous avions chez nous l'encyclopédie *Grolier* qui répertoriait allégrement ce genre d'événements, et quelques autres, plus heureux. Ça part mal une vie.

Mon côté iceberg se manifeste surtout devant les gérants de banque à l'air embaumé (voulez-vous l'adresse de cette succursale de la Banque nationale?), les vendeurs et les garagistes qui sont intimement persuadés que je ne suis qu'une fille, les menteurs, les crétins et les peureux. Et là, je dois malheureusement ajouter le féminin aux trois derniers termes. (Ah! si les femmes pouvaient être parfaites... vieil espoir de vieille féministe.)

Bref, je m'en sers tous les jours. Parce que, quand on est une naufragée d'avance, on n'a strictement rien à perdre. Rien du tout. Par exemple, on peut dire à un petit patron de Radio-Canada que c'est un crétin parce que c'est vrai. Évidemment, ce genre de réaction impulsive n'aide pas à se faire une petite vie bien tranquille ou à garder sa *job* longtemps. Ce sont les risques du métier de naufragée. Parce que même si mon côté iceberg devait plutôt être naufrageur, je me retrouve toujours naufragée. Et je deviens *Titanic*. C'est curieux. L'un et l'autre en même temps, comme on ne sait jamais, entre un bourreau et une victime, si le bourreau est bien celui ou celle qu'on pense. C'est mêlant. Je parle fort, je me choque noir parfois, je me défends, je lutte, et c'est moi qui sombre. Ce n'est quand même pas normal. Le *Titanic* était justement un très grand bateau qui avait l'air très fort. Il a sombré en une demi-heure. Ça doit être ça qui m'arrive. Je ne dois pas avoir une force réelle, bien ancrée. Alors comment faire? Parce qu'on ne peut quand même pas impunément se permettre tant de naufrages dans une vie. Analysons froidement la situation, comme seul un iceberg peut le faire. Et n'allez pas croire que je suis déprimée pour faire ça. Au contraire. Il y aurait tant de choses à faire sombrer dans cette société, à commencer par les émissions de variétés à la télévision, les radios AM et les spécialistes du *marketing*. Il faut absolument apprendre à appliquer les techniques du naufrage ailleurs que sur soi-même. Ma démarche est donc pleine d'espoir.

La plupart des femmes que je connais sombrent avant même d'ouvrir la bouche: le résultat est le même que moi, sauf qu'elles risquent des ulcères (ou de l'eczéma) que je n'aurai pas. Dans ce cas, les techniques d'apprentissage du naufrage-à-l'extérieur-de-soi diffèrent légèrement: elles doivent apprendre à parler alors que je dois apprendre à me taire, dans le but d'être enfin stratégique. Apprendre à bien *flusher* m'apparaît un strict minimum. Il faudrait commencer à se pratiquer sur de petites choses, à la maison, sans témoin. Comme par exemple, tirer la chasse d'eau et aimer ça. En ce qui concerne la vaisselle, il est préférable de la regarder en sachant qu'on *pourrait* la casser n'importe quand, parce que si on la casse pour vrai, on devra en racheter, et la punition ne tombe pas alors sur la bonne personne. En plus, on passera pour des hystériques auprès des voisins, ce qui n'est pas souhaitable dans notre plan. Éviter d'être repéré est une des premières règles d'un iceberg qui veut bien accomplir sa tâche. En second lieu, il faut absolument se pratiquer sur des êtres vivants, avec leur assentiment bien sûr. Un-e meilleur-e ami-e sera parfait-e pour l'occasion. En tant que meilleur-e-s ami-e-s, ils savent bien ce qu'ils ont à endurer; alors n'ayons pas peur d'abuser. Il faut essayer des attitudes diverses, comme on essaie des vêtements. Jusqu'à ce qu'on trouve celle qui nous va comme un gant, ou dans l'expression de l'agressivité, ou dans le silence contrôlé. Parce que j'ai quand même eu le temps de remarquer, à travers mes nombreuses colères, que les gens qui n'élevaient jamais la voix et gardaient leur calme étaient des *winners*.

Je vais m'empresser d'appliquer cette réflexion dans ma vie: je vais garder mon calme, sourire même en disant tout ce que je veux dire malgré tout. Et là je deviendrai redoutable. On fondera le Club des redoutables dont la devise sera: «Impitoyables mais souriantes». Et plus personne n'osera nous vendre une guerre des étoiles, par exemple. Parce qu'il sauront d'avance que ça ne passera pas. Ils se mettront peut-être à faire des choses bien.

Moi, je veux le sourire de la Joconde. Celui qui dit: «Cause toujours mon lapin, moi je sais où je m'en vais.» Et tes *Pershing* tu peux te les mettre où je pense.

Et que ça saute!...

Octobre 85

23

Y a-t-il quelqu'un dans la salle?

OU

*I'M SORRY BUT THERE IS NO SERVICE
FOR THE NUMBER YOU HAVE DIALED*

J'ai remarqué que les hommes n'étaient jamais menstrués. À mon avis, ils devraient l'être. (Ici je sens les frissons d'horreur de nos valeureux lecteurs...) Non seulement comprendraient-ils enfin la terreur de tomber enceinte à tout bout d'champ, mais ça leur donnerait un cycle menstruel ou lunaire explicable; ils sauraient quand ils sont le plus émotifs, le plus excédés ou le plus calmes. Ils arrêteraient comme ça de faire de nous des êtres «péjoratifs» parce que nous avons des hauts et des bas, des fluctuations, des subtilités d'humeur qui passent sur le dos de la nature féminine. C'est vrai que, trois jours *avant*, c'est la fin du monde. *Remake* de l'apocalypse à chaque mois. Bon. Mais ça ne veut pas dire qu'on est capables de s'habituer, même si *ça* revient tous les mois et que *ça* dure en moyenne 40 ans. (C'est toujours sur les mêmes que *ça* tombe.) Surtout qu'un des symptômes principaux que *ça* s'en vient, c'est de faire le ménage parce qu'on trouve subitement que la maison est une soue à cochons, «comment-ça-se-fait-qu'on-ne-l'avait-pas-vu-avant?» Cette phrase est un signe que les temps sont proches. Alors si les hommes étaient menstrués, ils verraient peut-être la montagne de vaisselle sale qui n'attend qu'un signe de leurs divines mains poilues pour disparaître? Et là je trouve qu'on serait véritablement à égalité eux et nous. On verrait *ensemble* que le plancher a besoin d'être lavé parce que les champignons commencent à y proliférer. (Ça faisait longtemps qu'on avait vu la crasse, mais on attendait qu'il la voie pour une fois. J'en connais qui attendent encore, depuis 20 ans.)

Moi, je suis persuadée que les hommes sont menstrués dans leur tête. Leurs menstruations ne leur donnent peut-être pas le goût du ménage mais le goût du pouvoir à tout prix, la majeure partie du temps. J'ai pensé à ça parce qu'on entend beaucoup dire depuis un certain temps: «Les femmes en politique doivent imposer leurs règles.» Je me suis toujours demandé de quelles *règles* on parlait. Changeons *règles* pour *menstruations*, et on vient d'éclairer la question d'une manière tout à fait différente. Car nous, les femmes et quelques rares hommes, nous savons de quel ordre sont les *règles* des hommes. On a même eu le temps d'en avoir soupé, depuis le temps qu'ils nous les imposent. C'est d'ailleurs pouquoi nous nous ennuyons souvent avec eux: parce qu'ils sont trop prévisibles, et qu'on n'en revient pas qu'ils continuent de l'être. À la rigueur, certains pourraient se faire remplacer par des magnétophones et on ne verrait pas la différence.

Le problème, c'est que, malgré la sainte autonomie prônée à cor et à cri par les féministes, les femmes (y compris les féministes) ont continué à faire l'éducation de leurs hommes. Et c'est ainsi que le discours des *nouveaux hommes* est teinté bord à bord de ce que leurs blondes leur ont appris, souvent durement. Je ne crois pas que les hommes aient vraiment commencé à penser par eux-mêmes. (Ça paraît dans le dossier d'ailleurs...

Oh! Il ne faut pas insulter ses invités.) On dirait que les hommes sont sur terre expressément pour perpétuer des codes et des structures. Alors ils font bien les choses, ils perpétuent. Et l'action (bien passive) de perpétuer est une chose profondément ennuyante. C'est ainsi que bien des femmes, pas du tout intéressées à «perpétuer», se retrouvent avec un siège vide en face d'elles, sans interlocuteur valable.

C'est donc au nom de l'ennui que j'écris cette chronique: l'ennui chronique, la fixité, la masse d'inertie. Et le «phénomène des *nouveaux hommes*» est d'après moi seulement une nouvelle manière de remettre sur le marché le même maudit produit qui n'a pas changé. Une façon de «revamper» ce qui ne pognait plus sous l'ancien emballage. Là, les «psy» de tout acabit vont m'accuser de ne pas faire de renforcement positif, que chaque effort est méritoire, qu'il faut le souligner au crayon gras. Désolée, je n'ai pas de crayon gras sous la main. Et le seul message que j'ai à livrer, en autant que le timbre ne coûte pas cher, est celui-ci: «On ne naît pas homme, on le devient.» (Ça me rappelle quelque chose...)

Personnellement, j'en ai marre d'avoir toujours sous la main les mêmes quatre ou cinq exemples de gars qui ont vraiment du bon sens. D'ailleurs, règle générale, ces hommes s'ennuient eux aussi avec leurs pairs. C'est un peu fort, non? (Je devrais nommer Marc, le *chum* de ma voisine d'en bas, pour qu'il continue de me rendre de menus services essentiels après la lecture de cette chronique. Protégeons nos arrières...) Je ne dis pas que *tous* les hommes sont ennuyants. Je ne dis pas non plus que *toutes* les femmes sont intéressantes. Mais il faut bien que je m'adresse à un ensemble et, dans l'ensemble, c'est assez ennuyant de faire affaire au «corps» masculin.

Entre M. Net et Mme Blancheville, il y a une différence fondamentale: Mme Blancheville est vraiment une femme de ménage et M. Net est le représentant d'une compagnie. C'est clair, non?

Novembre 1985

NOTE DE 1988:
Vous aurez compris que cette chronique m'a expressément été commandée pour fustiger le numéro «spécial hommes». Ce fut la seule (et dernière) fois que des hommes écrivirent dans *La Vie en Rose*. Tirez vos conclusions...

Illustration: Christine Lajeunesse.

(24)

Y a-t-il un miroir dans la salle?

OU
PASSEPORT POUR CRISE D'IDENTITÉ
INCURABLE

Avoir un passeport ne signifie pas du tout avoir une identité. Je viens de découvrir ça. Même si depuis longtemps je m'étonne que les douaniers me laissent passer à tout coup, comme s'ils arrivaient vraiment à ne pas douter que la face du passeport est la même que celle derrière leur guichet. Ils ont l'air tellement sûrs d'eux que je finis par les croire. Mais chaque fois, j'ai peur qu'ils ne me reconnaissent pas et qu'ils me «démasquent» devant tout le monde, comme si j'étais Mata-Hari version 85 en train de transporter les plans de la Guerre des étoiles en micro-films dans les branchons de ses lunettes.

Je ne sais pas de quoi j'ai l'air en fait, ce qui crée chez moi un fort syndrome d'imposture. Petite, j'ai sauté par-dessus la phase du miroir, par distraction sans doute ou parce que je suis devenue myope très tôt. Ou encore parce que j'ai flâné trop longtemps dans d'autres étapes comme la phase orale ou la phase du *non* (dans laquelle je suis encore en fait: vous en lisez les manifestations chaque mois dans cette chronique...). Je suis du genre à ne pas reconnaître mon reflet dans une vitrine, à trouver qu'aucune photo de moi ne me ressemble, ce qui est très suspect, et à ne pas pouvoir me sécher les cheveux devant un miroir parce que je fais tous les gestes à l'envers. Alors, pour survivre dans cette société où il faut avoir l'air d'une jeune cadre dynamique pour avancer, on développe des petites techniques avec le temps. Parce que l'important, c'est ce qu'on a l'air, pas ce qu'on est. Et à la limite, l'image qu'on projette est totalement indépendante de soi, autonome, «indépendante de notre volonté» comme ils disent quand ils n'arrivent plus à trouver l'image à la télévision.

Si on ne veut pas payer un «psy» pour trouver son identité, on est bien obligé de se fier aux autres pour la trouver. ERREUR FATALE. En fait, si vous pouvez l'éviter, ne faites jamais ça. C'est l'enfer. Les images qu'on vous renvoie sont tellement contradictoires qu'on se retrouve avec une image de soi qui ressemble à un portrait de Picasso, le pied dans le front et le nombril sur la joue. Après ce traitement, on ne peut pas se trouver belle sur une photo! En plus, la majorité des gens pratiquent la déduction *courte* à votre sujet. Du grand art! Ils sautent aux conclusions les plus évidentes. Si vous avez l'air heureuse, c'est que vous êtes en amour. Si vous êtes sur votre 36, c'est que vous devez avoir un rendez-vous galant. Si vous parlez fort, c'est parce que vous êtes choquée, etc. Un jour, en l'espace de quelques minutes, on m'a perçue comme la personne la plus nerveuse et la plus calme au monde. Ces images contradictoires sont une source de stress épouvantable. Je ne me ronge pas les ongles pour rien. Suis-je calme ou nerveuse? Suis-je un iceberg ou une personne chaleureuse? Suis-je un monstre de calcul ou un être spontané? Suis-je un bloc de granit ou un chiffon J? Suis-je un dragon ou une souris? Suis-je un monument de confiance en soi ou un spectre d'incertitude ambulant? Si je suis tout ça en même temps, une chatte n'y reconnaîtrait pas ses petits. Ce n'est pas un passeport qui va régler le problème. Peut-être que je connais trop de monde? Ou que je suis incapable d'assumer les multiples facettes de ma riche personnalité?

Mais après tout, sommes-nous si «personnels»? Avons-nous tant que ça une identité propre ou ne sommes-nous que des figures de style? Des casse-tête fabriqués par les événements et les gens qui nous traversent et nous laissent des morceaux d'eux-mêmes au passage, souvent en oubliant de nous indiquer l'endroit où les mettre? Certain-e-s vous jouent même le tour pendable de vous offrir des morceaux qui ne vont pas du tout dans votre casse-tête. On peut aller jusqu'à mourir à force de ne pas trouver la place d'un morceau, à moins de découvrir à temps qu'il allait dans un autre casse-tête.

J'ai des frissons d'horreur quand je pense que si ma mère avait acheté de la soupe aux tomates Campbell au lieu de la Aylmer quand j'étais petite, c'est la Campbell que j'aimerais maintenant. Beurk! Je l'ai échappé belle. Les goûts tiennent à si peu de choses, on se demande vraiment pourquoi on en fait un tel plat. Alors, un passeport devrait suffire pour l'identité... non?

Décembre-janvier 1986

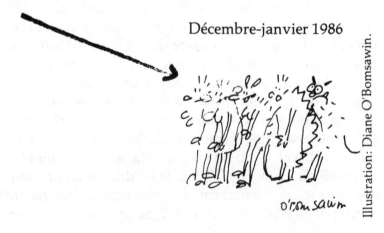

Illustration: Diane O'Bomsawin.

25

Y a-t-il une catastrophe dans la salle?

OU
MIEUX VAUT TOMBER EN AMOUR
QU'EN DÉSUÉTUDE

Montréal, dans la nuit du 1er au 2 décembre 1985, deux heures. Ma chère Evelyne, je viens de partir de chez toi, mais tu sais comment on est: on a toujours quelque chose à se dire, à rajouter. Eh bien! je t'annonce, à toi qui est restée bien au chaud, que c'est le déluge sur Montréal cette nuit. Tempête de pluie ici et probablement tempête de neige à Jonquière. Je n'ose qualifier le genre de tempête qui s'abattra sur le Québec tout entier demain soir vers 8 heures 30. Ne soyons pas scatologiques. Comme tu le dis si bien: restons élégantes en toute situation. Imagine le symbole: ce soir c'est le déluge, demain Noé arrivera, faisant du *surfing* sur sa mer Rouge, et on sera submergées.

Les spécialistes n'avaient pas prévu le tremblement de terre de Mexico, ni l'éruption du volcan en Colombie, mais ce déluge-là a été dûment annoncé, préparé, proclamé. Tous les journaux, à court d'idées autant que les politiciens, lui ont déroulé le tapis rouge. La machine à remonter le temps vient d'être inventée au Québec, en 1985. Qu'est-ce qu'on est géniaux quand même les Québécois!... On la cherchait depuis des siècles dans les imaginaires de tous les pays du monde, et c'est nous qui l'inaugurerons demain soir, à travers la virilité sublime de la voix de Bernard Derome.

Et la Belle Époque recommencera. On va ressortir nos pancartes du placard (j'espère que tu ne les avais pas jetées, la température au Québec est si changeante...), on va redescendre dans la rue se geler les fesses et on va passer une partie de l'année en extinction de voix. *Rewind* sur l'avortement, *rewind* sur la langue. On ne peut même pas exiger davantage comme on aurait pu le faire avec le PQ, ce nouveau parti fédéraliste qu'on a déjà connu et aimé du temps de sa jeunesse folle. Connerie pour connerie, on n'aurait quand même pas été obligées de repartir à zéro avec lui. Malgré tout. Imagine s'ils emprisonnent à nouveau les chefs syndicaux aux prochaines négociations: cette fois-ci, ils vont être pognés avec Monique Simard à Tanguay. Ils ne savent pas ce qui les attend! Elle va leur faire regretter d'avoir tant tenu à prendre le pouvoir. Et ce pauvre Morgentaler. Alors qu'il serait temps de lui ériger une statue pour services rendus aux femmes du Québec, il va se retrouver sans statut du tout. On se croirait en Ontario (ici, je sens un petit frisson d'horreur).

On en sera quittes aussi pour sortir des boules à mythes le fameux *Speak white* de Michèle Lalonde. Imagine que j'avais lu ce poème sur les ondes de Radio-Canada à Chicoutimi en réponse au bill 63 (de triste mémoire). On ne peut pas dire que j'étais une journaliste très objective. Comme tu peux le constater, je n'ai pas tellement changé, sauf que j'étais peut-être plus impétueuse à 20 ans que maintenant. (Oui, oui, ça se peut. Imagine ce que c'était... infernal.) Prépare-toi, ma vieille, il va falloir retrouver nos 20 ans d'urgence pour ne pas avoir à suivre un cours intensif chez Berlitz demain matin! C'est nous qui les proclamerons les mesures de guerre cette fois-ci...

À part ça, Zonzon m'a prédit que l'amour allait me tomber dessus incessamment (sinon bientôt, comme dirait Clémence). J'attends. Mon tarot était excellent à tous points de vue. Je n'ai pas osé lui demander de tirer le tarot du Québec puisque son avenir avait déjà été prédit par l'ensemble de la presse québécoise à travers ces nouveaux tarots que sont les sondages. Mais je vais te dire une chose, Evelyne: pour tomber en amour, moi, je dois me sentir parente avec l'autre quelque part. Alors, il est absolument impossible pour moi de tomber en amour avec le nouveau gouvernement. C'est ça le problème. On n'est pas parents et on ne le sera jamais. On n'est pas de la même lignée. J'ai toujours la fâcheuse impression qu'ils pourraient vendre le Québec pour un plat de *binnes*. Et même si l'autre gouvernement me faisait suer à maints égards, je pouvais toujours lui gueuler après, je me sentais malgré tout du même bord. J'ai procédé de la même façon avec ma mère, jadis. C'est comme ça les familles. Et tu sais, entre Louise Harel et Monelle Saindon dans le comté de Maisonneuve, mon choix est vite fait. Et toi?

Il est 3 heures 15 déjà. Le déluge continue. Eh bien! je l'aurai connu de mon vivant. Vive l'histoire!... Je t'embrasse. Au moins *toi* tu sens bon. C'est encourageant.

HÉLÈNE

Février 1986

P.S.: J'en ai entendu une bonne aujourd'hui: il paraît que sous le nouveau gouvernement, l'*Autre* télévision deviendra l'*Ex*-télévision. Comique, non? Je vais encore perdre ma *job*. Je veux quand même donner un bon point à tous les Québécois qui auront élu ce gouvernement: ils et elles viennent en même temps de redonner vie à la gauche québécoise. Ce qui n'est pas rien en ces temps ambidextres... pardon: ambigus.

NOTE DE 1988:
Je vous rappelle que le 2 décembre était jour d'élection au Québec cette année-là...

Illustration: Diane O'Bomsawin.

26

Y a-t-il un *lifting* dans la salle?

OU
LES FILLES, SAUVONS LA FACE
(ET LES MEUBLES, TANT QU'À Y ÊTRE...)

Chère maman, Au secours! Je ne comprends pas les femmes, pas plus toi, moi, que les autres. Il était bien temps que je m'en rende compte, à 33 ans. Je me demande aujourd'hui de quelle sorte de bois tu étais faite. Toi, ta spécialité était de sauver la face. Ce fut ta plus grande réussite (à part moi, bien sûr...). Comment tu as pu te payer un manteau de fourrure alors que papa gagnait 22 $ par semaine chez Coca-Cola me paraît encore, avec mes yeux d'adulte, un tour de prestidigitation. Il est vrai que c'était un bon investissement, tu l'as porté pendant 25 ans. Faut croire que tu étais une sorte de génie de la finance dans ton genre, puisque personne ne s'est jamais vraiment rendu compte — nous non plus — qu'il y avait un sérieux problème d'argent dans notre famille. (Si tu avais connu l'existence des cours de la Bourse, l'indice Dow Jones n'aurait eu qu'à bien se tenir.) On était toujours propres, le dedans des oreilles compris, bien habillées, même gâtées. On avait toujours notre 10 cents pour acheter notre lait au chocolat à la récréation, et chaque dimanche, en grande pompe, on s'entassait dans un taxi pour se rendre à la messe: prendre un taxi, c'est quand même montrer qu'on est un peu

au-dessus de ses affaires? Malgré tout, j'ai eu un doute
sur notre situation financière quand tu m'as refusé des
cours de piano à 8 $ par mois, et la maison de poupée
avec tout le mobilier que Diane Bolduc semblait avoir
eu, elle, sans aucune discussion. Je n'ai rien dit. J'ai
sauvé la face, comme toi. Et je continue de le faire parce
que je déteste, comme toi, le misérabilisme.

Et c'est à cause de cet héritage de fierté que tu m'as
légué que je me pose aujourd'hui de sérieuses questions
sur les femmes. Veux-tu me dire, alors que nous sommes
plus de 52 p. 100 de la population et qu'on prévoit que
nous serons plus de 55 p. 100 en l'an 2000 qui approche,
pourquoi les femmes continuent d'avoir des attitudes de
minoritaires? C'est honteux. Nous sommes un défi aux
mathématiques. La force du nombre n'a aucune inci-
dence sur notre manière de demander. Alors qu'on
devrait *exiger*, on continue de demander patiemment,
sans avoir de réponses. On pleure la nuit plutôt que de
parler fort le jour. On n'arrête pas de faire des histoires
de cœur avec les moindres histoires minables, on met du
sentiment dans tout ce qu'on vit. Comment veux-tu dis-
cuter avec un garagiste ou un banquier avec cette men-
talité? Moi ça commence à me poser des problèmes de
conscience. De deux choses l'une: ou on est naiseuses
génétiquement, ou on est stratégiques et je ne m'en suis
pas encore rendu compte. Mais j'ai toujours trouvé que
«Reculer pour mieux sauter» était un proverbe vicieux.
Un virage à 180 degrés, ça s'appelle un retour en arrière
si je ne m'abuse, et je m'affole en ce moment parce que
j'ai l'impression que c'est ça qu'on est en train de faire.
Qu'est-ce qu'on a appris, maudit, si encore aujourd'hui
on préfère comprendre un four micro-ondes ou un robot
culinaire plutôt qu'une photocopieuse ou un ordinateur?
Si on accumule encore nos précieux manuscrits trop sen-
sibles dans des caisses, plutôt que de les transformer en
pièce de théâtre ou en romans *visibles*? Si on a encore

peur de prendre des risques et de *se tromper* sur la place publique? Pendant ce temps, on a l'impression que les femmes n'inventent rien. Après la flambée des années 75 à 80, c'est un peu dur à prendre. Est-ce là tout le feu qu'on contenait? J'en doute. Mais où est-il passé? Dans le même gouffre que toutes les modes? Aurait-on cru, par hasard, ceux et celles qui ont claironné que le féminisme était passé de mode? J'ai l'impression qu'on est un peu gagas en ce moment. À tel point que ça ne m'étonnerait pas du tout d'entendre des nouveaux mots d'ordre du genre: «Soyons consentantes à 100 p. 100, et nous ferons ainsi disparaître complètement le viol de la planète.» Ou encore: «Les filles, continuons d'être des fleurs à la merci du premier sécateur venu.» Ou: «Varions nos virages pour déjouer l'adversaire, tantôt à gauche, tantôt à droite, tantôt au milieu, et finissons dans le fond de la garde-robe.» Tu vois, maman, comme j'ai le sens de la phrase publicitaire, je perds de l'argent par ma faute. Plus: «Perdons la mémoire, ça vaut mieux que de se souvenir.» (Et refaisons les mêmes erreurs.)

Moi, je dirais plutôt: «Soyons un défi à la science, vivons sans cœur et sans reproche.» C'est ma nouvelle devise. Et si tu es d'accord, maman, je vais te voir bientôt pour préparer un cours de *sauvage de face* qu'on pourrait offrir au «Y» des femmes. Ça devrait pogner énormément.

Bon, je m'arrête ici. J'ai encore des milliers de choses à te dire pour me défouler, mais ça ne servirait à rien: les filles de *La Vie en Rose* vont me couper, comme d'habitude. Je t'embrasse.

Ta fille qui t'aime, même si elle ne te comprendra jamais.

HÉLÈNE

Mars 1986

_____(27)_____

Y a-t-il un mensonge dans la salle?

OU
COMMENT FAIRE EN SORTE QUE LE PRIVÉ
NE DEVIENNE JAMAIS POLITIQUE

Ma voisine d'en bas pense que je mène une double vie. Ça la chicote à un point tel qu'elle a commencé à se ronger les ongles. Je ne la contredis pas. Je ne l'encourage pas non plus. Je fais le sphinx. Je passe et repasse à toute vitesse devant sa porte, avec ou sans talons hauts. Comme ça, elle peut penser que j'ai différentes sortes de rendez-vous. Je sais qu'elle m'entend. De toute façon, elle n'a pas le choix: je n'ai pas le pas léger d'une nymphe évanescente. J'ai toujours eu le pas assuré d'une fille qui avait l'air de savoir où elle s'en allait, même quand je me sentais moins utile qu'un pois chiche. Je n'ai jamais su errer comme du monde. C'est une tare, parce que si je savais errer, je trouverais le moyen d'avoir l'air fragile parfois, et quelqu'un aurait peut-être envie de me protéger, de me nourrir et/ou de me bercer. Ce qui n'est pas près de m'arriver parce que j'ai l'air indestructible. Je suis donc condamnée à l'autonomie la plus ennuyante, même si je ne sais pas faire cuire un *steak* haché.

L'autonomie obligée exige qu'on se contente souvent de peu, y compris d'un *sandwich* à la mayonnaise

Miracle Whip. (Je vous le recommande avec un excellent policier. On arrive à ne plus pouvoir s'en passer.) Autrement, c'est le restaurant. C'est simple. Ma voisine d'en bas ne connaît de mon intimité que le macaroni avec la soupe aux tomates Aylmer froide que je mets par-dessus le macaroni chaud. Ce qui finit par devenir un plat tiède tout à fait acceptable. Pourquoi salir deux casseroles? Quand elle a connu ce côté intime de moi, elle a ri pendant deux jours. Alors, je ne l'ai pas mise au courant des *sandwiches* à la mayonnaise, et du reste que je ne raconte pas parce qu'il pourrait y avoir des cœurs fragiles. (Autant que possible, je ne voudrais pas faire perdre des lecteurs et des lectrices à *LVR*.)

Elle pense que je mène une double vie. Je ne lui dirai jamais qu'elle se trompe complètement. En fait, j'en mène trois ou quatre, je ne les compte plus depuis longtemps. Et je peux jurer que ce sont toutes des histoires d'amour. Et là je ne parle pas de mes trois, quatre *jobs* à temps plein. En fait, je n'ai pas le temps de vivre tellement je suis autonome et occupée. Je n'ai même pas le temps de dire à la personne dont je suis amoureuse que j'en suis amoureuse. Ça viendra. Chaque chose en son temps. Dans quelques années, je m'organiserai bien pour prendre quelques jours de vacances. Et n'allez pas croire que je me tais par timidité. Moi, timide? Voyons! Je manque de temps. Il faut bien que je sorte mes poubelles et que je lave mon linge en plus de tout le reste.

Et puis, je suis très jalouse de ma vie privée. Tout le monde se pose des questions à mon sujet et c'est très bien comme ça. Le mystère est toujours attirant. Dans ce monde d'information à outrance, on peut devenir une nouvelle, un potin ou une dépêche de la *Presse canadienne* dans le temps de le dire. Et ma voisine d'en bas adore les potins, entre autres choses qu'elle adore. C'est une fille très enthousiaste de nature.

Je suis tellement jalouse de ma vie privée que je ne m'en parle même pas à moi-même, de peur qu'elle me paraisse dans le visage, à découvert. À côté de ça, le secret de Fatima est un secret de Polichinelle. Je suis une tombe. (Ce qui n'est guère réjouissant, je l'avoue, mais ce côté de moi est très apprécié de plusieurs de mes amies porteuses de secrets qu'elles croient inavouables, sauf à moi. Il ne faudrait surtout pas que je publie mes *Mémoires d'outre-tombe*, même si la tentation est grande à force de demeurer sur la rue de Château-briand...) Donc, je n'ai jamais enfourché la moto féministe: «Le privé est politique.» Cette phrase m'a toujours donné des frissons d'horreur, étant donné mon caractère extrêmement privé.

Mais je vais lui dire que je suis amoureuse. Qu'est-ce que vous croyez? Que j'ai peur? Pas du tout. J'ai beaucoup de sang-froid, je n'ai jamais rougi de ma vie et j'ai l'air toujours *au-dessus* de mes affaires (vaudrait peut-être mieux que je sois *dedans*?). Je termine mon contrat à Radio-Québec à la fin mai, alors en juin ou en juillet, avant de reprendre le travail en août, j'aurai bien cinq minutes pour le lui dire. Ça ne prend pas beaucoup de temps à dire ces choses-là quand on est directe comme je le suis, franche et sûre de soi. Et comme ça, j'aurai enfin vaincu mon autonomie maladive, sans psycho-thérapeute.

(À suivre...)

Avril 1986

28

Y a-t-il un Provigo dans la salle?

OU
COMMENT NE PAS DEVENIR UN SUPERMARCHÉ

Bon. Je me suis chicanée avec ma meilleure amie. De guerre lasse, j'ai fini par lui hurler au téléphone: «Je ne suis pas un Provigo, qu'est-ce que tu crois?» J'étais désespérée. Elle a éclaté de rire. (Ça fait trois jours, je crois qu'elle rit encore.) La chicane a fini là. Je la voyais se promener en moi avec son chariot à provisions: «Un peu de ça, et de ça. Non, pas ça, je n'en ai pas besoin. Une provision de ça, un quart de livre de ça, une livre de ça. Ah! non! Pas ça, je déteste ça.» *Ça* étant différentes parties de *moi*. J'ai pris mon surmoi et je me suis drapée dedans. Il y a des gens comme ça qui prennent et qui laissent. Je refuse d'être magasinée à rabais ou en morceaux. Avec moi, c'est tout ou rien. Non mais, c'est chiant les gens qui nous font sentir 100 fois par jour qu'on n'est pas parfaite avec détails à haute précision!

Je les connais, mes imperfections. Pas besoin de les éclairer avec une ampoule de 1 000 watts qui, de toute façon, rend aveugle. Le tout ou les parties? La poule ou l'œuf? L'œuf ou l'argent? Ce besoin de polariser tout le temps, c'est épuisant. Je sens qu'on veut *me* diviser pour mieux régner. Après tout, ça se peut d'être à la fois très raffinée et de parler fort. Ou de se décrotter le nez avec une robe de 500 $ sur le dos. Ou de sortir un gros mot de temps en temps dans un langage par ailleurs assez étudié. Ça fait du bien les imperfections, quand on sait que c'en est.

En fait, les imperfections, on devrait pouvoir les accepter quand on aime quelqu'un. Presque aussi bien que les grandes qualités. Prendre le paquet ou rien (le paquet en question n'ayant rien à voir avec la grosseur de la personne concernée). Je suis comme ça de toute éternité. Je n'ai jamais pu morceler mes sympathies, ni mes antipathies, ni mes affections, ni rien. Ce n'est pas très subtil. Ça aussi, c'est à prendre ou à laisser. En plus, ça m'amène à avoir l'air de lancer des ultimatums à tous vents. Pas du tout. J'appelle la même tolérance envers mes gouffres (imaginez la profondeur des failles) que j'essaie d'en avoir avec ceux des autres.

Mais là, en écrivant, je me rends compte que je mens en partie. En fait, ma tolérance ne s'applique qu'à un niveau individuel, pas du tout à un niveau collectif, encore moins politique. Et je revois tout à coup Robert Bourassa, à Paris, au Sommet de la francophonie. Il a fait une première sortie très remarquée en parlant d'agriculture. C'est normal. Il n'a jamais fait la différence entre culture et agriculture. C'est vrai. À peine a-t-il pris le pouvoir qu'il laboure le budget des Affaires culturelles, sème la panique à l'Orchestre symphonique, au Musée d'art contemporain et dans tous les théâtres de la ville, et récolte quelques malheureux millions de plus pour pratiquer son coûteux dada: construire des barrages.

Peut-être se souvient-il qu'en effet la culture dépendait du ministère de l'Agriculture jusqu'à la fondation du premier ministère des Affaires culturelles[1] (M.

---

1. Authentique.

Duplessis voyait le rapport lui aussi...). Ce n'est pas si loin. C'est peut-être à cause de ça que nous, les Québécois-es, gardons profondément ancrée dans notre inconscient collectif la peur d'être, au fond, des habitant-es. Il faudra fouiller cette hypothèse un jour. (Saint Sigmund, priez pour nous.) Mais, à la quantité de psychothérapeutes qu'il y a ici au mètre carré, on devrait pouvoir régler ce problème agricole très bientôt, j'ai bon espoir.

Bref, pour en revenir à M. Bourassa, entêté comme il est, il va nous remettre le bilinguisme sur le nez, dans la bouche et dans le cul en deux temps trois mouvements. Les journaux l'ont écrit en caractères gras: «Le bilinguisme refleurira le long de nos autoroutes, dans nos rues et dans nos magasins[2].» Le journaliste avait l'air content. Pas moi. Premièrement, le bilinguisme n'est pas une fleur. Ou si c'en est une, elle est vénéneuse. De l'herbe à puces. Quelque chose qui ne sait pas vivre. Comme quelqu'un qui porterait des pantalons de fortrel avec une blouse en soie fine et des souliers en cuir fin d'Italie. Si vous rencontrez quelqu'un habillé comme ça, vous lui diriez que ça ne va pas, que quelque chose cloche.

Pareil avec le bilinguisme. On ne peut pas endurer un tel manque à l'esthétique. Il faudra dire à M. Bourassa que les Québécois-es ne sont pas morcelables comme ça, qu'ils et elles ne pourront pas tolérer d'être traité-e-s à rabais dans leur langue et que c'est à prendre ou à laisser. Comme moi avec les individu-e-s. Je ne veux pas être un Provigo, mais je ne veux pas non plus être un dépanneur ouvert 24 heures pour servir la

---

2. Cité par Gaston Miron au coin des rues Laurier et Saint-Urbain, le 16 février dernier.

clientèle au maximum. Je ne veux pas servir en tant que peuple non plus. Je sens qu'on veut *nous* diviser pour mieux régner. «*Wake up or die*, les ami-e-s...»

Mai 1986

Illustration: Marcella Toro.

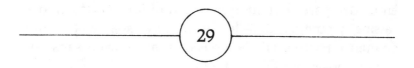

Y a-t-il une vraie femme dans la salle?

OU
REAL WOMAN, REAL MUFFIN

Toronto, le 15 mai 1986

Madame Jehanne Benoît
La Cuisine arraisonnée
Montréal, Canada

Ma chère Jehanne,

C'est un appel au secours que je vous écris en silence parce que je crois que vous êtes la seule personne au monde à pouvoir régler mon angoissant dilemme, les thérapeutes étant trop chers. J'étais en train de faire ma recette habituelle de *muffins*, le regard perdu dans mes pensées domestiques, me réjouissant dans mon cœur en pensant à la joie habituelle de mon mari et de mes enfants devant mes beaux *muffins* tout bruns et tout chauds, quand tout à coup, ma main droite se figea dans le bol Corning Ware que ma mère m'offrit pour mes 25 ans. Un doute insupportable venait d'envahir les méandres complexes de mon cerveau-direction: les *muffins* doivent-ils absolument contenir des raisins pour être de vrais *muffins* authentifiés? Devais-je continuer à ne pas en mettre parce que mon mari a toujours eu dédain des raisins, y compris dans le vin, ou devais-je au contraire en mettre parce qu'il n'y a pas de vrais *muffins* sans raisins, imposer ma décision en toute lucidité à mon mari en lui faisant comprendre qu'à notre niveau de *standing*, nous ne pouvions pas nous permettre de manger du toc?

Je ne résolus pas mon problème, et il n'y eut pas de *muffins* cette journée-là. Je culpabilisai sans rien dire de mon angoisse devant les regards tristes et bourrés de reproches silencieux de mon mari et de mes enfants. Ils furent très compréhensifs envers moi, ils ne dirent rien. Mais après trois jours d'insomnie carabinée, je me résous à vous écrire. J'ai peur de développer un cancer à force de douter de l'authenticité de mes *muffins*.

Parce que, vous comprenez, je viens d'adhérer à un mouvement révolutionnaire qui a bouleversé ma vie. Et depuis que j'ai choisi le *vrai* chemin, tout est tellement plus clair pour moi: j'ai enfin compris la célèbre phrase de Simone de Beauvoir, «On ne naît pas femme, on le devient», parce que c'est l'illumination que j'ai eue récemment en découvrant l'existence de ce mouvement. J'ai aussi compris pourquoi elle avait intitulé son livre *Le Deuxième Sexe*. Elle avait raison, nous sommes effectivement le second, et nous sommes faites pour être les deuxièmes. Comme c'est valorisant d'être une excellente deuxième, sans le poids de la responsabilité énorme de la première place! Nous n'avons pas les reins assez solides, je m'en rends compte tous les jours en transportant mes sacs de commissions et mon panier de linge mouillé de la cave à la corde à linge (ça sent tellement meilleur au grand air; mon mari et mes enfants n'en reviennent jamais, ce qui me valorise beaucoup).

Mais vous devez connaître déjà ce merveilleux mouvement puisque nous avons fait la une du très sérieux *Devoir*, ce qui est pour nous une reconnaissance extraordinaire: il s'agit des *Real Women*. J'imagine qu'au Québec vous éprouverez comme toujours le besoin de traduire l'expression, n'ayant pas encore résolu le problème du bilinguisme. Pour vous faire plaisir, je dirai «les Vraies Femmes». Ça ne fait pas de différence pour moi, c'est la réalité qui compte. Moi qui avais toujours eu un gros problème d'identité, voilà que j'ai enfin trouvé ma voie. Notre première action officielle sera de militer contre le lave-vaisselle[1], parce qu'une vraie femme ne peut vivre son identité que les mains dans l'eau de vaisselle bien savonneuse (nous recommandons Ivory parce qu'il laisse les mains douces pour caresser les maris stressés par trop de responsabilités). «Je pense, donc j'essuie» est une de nos devises.

Nous avons bon espoir de convaincre les multinationales du bien-fondé de notre première revendication. Nous n'en aurons qu'une à la fois, comme ça nous effraierons moins les gens. Entre vous et moi, le féminisme nous aura au moins appris ce qu'il ne faut pas faire. Gloire à ces furies d'un autre temps. *Requiescat in pace*. Et «*swinge* la baquaise dans le fond de la boîte à bois! Halte là, halte là, halte là, les *Real Women* sont là!» Mon dieu, je me laisse emporter par mon enthousiasme débordant. Excusez mes folies.

Pour en revenir à nos *muffins*, j'attends de vous une réponse imminente. Depuis que je suis une vraie femme, je ne peux permettre, à aucun moment, que le faux l'emporte sur le vrai. Je suis dans l'authentique à plein temps. J'écouterai votre parole religieusement, vous ne perdrez pas votre temps avec moi. Je suis quelqu'un qui croit en vous, comme des milliers de femmes avant moi.

---

1. Je dois ce *gag* à un dénommé Jean-Pierre Morin. Non, ce n'est pas mon mari.

Veuillez agréer, chère Jehanne Benoît, mes sentiments les plus vrais,

(LA VRAIE) BETTY CROCKER

Juillet-août 1986

Illustration: Sylvie Laurendeau.

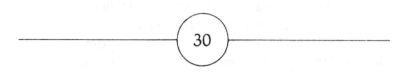

Y a-t-elle une artiste dans la salle?

OU
GLISSEMENT PROGRESSIF DE LA STATUE
AU STATUT

Les artistes ne sont pas des gens comme les autres. Faut pas croire. Même si elles essaient de nous prouver que non, que c'est un travail comme un autre. Premièrement, la création n'est pas un travail, tout le monde le dit, c'est une obsession. Et l'obsession, notre société a la manie de toujours vouloir la soigner à tout prix, et qui plus est, de la guérir. C'est une obsession. On n'en sort pas. Non. Les artistes ne sont pas des gens comme les autres. La preuve? Elles ont besoin de silence. Plus que la moyenne des gens. Elles noyautent le silence jusqu'à ce qu'il avoue, jusqu'à ce qu'il crache les mots, les musiques ou les images qu'il contient. Les artistes ne sont pas des gens comme les autres parce qu'elles sont des tortionnaires, en fait. Des tortionnaires torturées qui connaissent bien le supplice de la chaise électrique chaque jour de leur vie, même debout. Elles le cherchent même quand il y a une panne de courant. Surtout quand il y a une panne de courant.

Les artistes sont aussi des contorsionnistes. Toutes. Même quand elles ne font pas dans le *showbizz*. Elles connaissent tous les trucs pour contourner le silence, les images. Elles connaissent le truc de la femme sciée en deux, de celle qui disparaît dans une garde-robe hermétiquement fermée. Le truc du lapin qui se pose à la place de la colombe qu'elles croyaient voir s'envoler. Le truc de la poussière, de l'appartement si sale que c'est lui qui empêche de se concentrer. Le truc du manque de vitamines ou de la chute de calcium à volonté, bien plus facile à réaliser que le truc de la page blanche qui se remplit de phrases inédites ou celui de la toile qui se peint directement avec les rayons du soleil ou les moiteurs de la nuit, ou encore le truc du spectacle qui monte comme une fleur en graine. Ç'a l'air si facile qu'on dirait que tout le monde pourrait en faire autant. Presque.

Les artistes ne sont pas des gens comme les autres. La preuve? Elles ont besoin de solitude. Beaucoup plus que la moyenne des gens. Et on sait que la moyenne est élevée. Elles doivent être *addict*. Un genre de drogue. Il faut bien être une artiste (parce que les artistes ne se rendent pas compte de la réalité) pour avoir besoin de solitude alors que la solitude est déjà partout, banale, chez elle chez tout le monde. Les pieds sur notre table et le nez dans nos assiettes. Et les artistes trouvent le moyen de la convoiter à tout prix. À croire que c'est une courtisane. Même si elle n'est pas rare, même si elle ne vaut pas cher et que personne ne ferait monter les prix si on la mettait à l'encan. Les artistes peuvent au moins se la payer, c'est dans leurs moyens. Mais la majorité des gens qui lisent le journal pensent que le bottin de l'Union des artistes est rempli de Rockefeller. Rockefeller est mort de rire devant tant de naïveté. Mais les rumeurs continuent de circuler. Il n'y a pas que des artistes dans le bottin de l'Union des artistes. Et toutes les artistes n'ont pas leur nom dans le bottin de l'Union des artistes.

Les artistes ne sont pas des gens comme les autres. Faut pas croire. Vous avez raison de penser que ce sont des irresponsables, des insouciantes. Quand elles ont de l'argent, en général elles le flambent. Elles ne savent pas ce qu'est un REÉR (non mais...) ou si peu. Parfois, elles ont des maisons, des voitures, mais faut pas croire. Ce n'est peut-être pas pour longtemps. Elles ne savent pas bien garder ce qu'elles ont. Elles dilapident. En plus, elles disent souvent des gros mots, des phrases qu'on ne comprend pas, elles nous tendent des miroirs alors qu'on n'a même pas demandé à se regarder, elles nous montrent sans prévenir des images qu'on n'est même pas habituées de voir.

Les artistes ne sont pas des gens comme les autres parce qu'elles ne savent pas vivre. Elles n'ont pas le temps de vivre la vie parce qu'elles la créent, elles passent leurs grandes journées à l'inventer. C'est pas une vie. C'est pour toutes ces raisons, auxquelles j'ai terriblement réfléchi, que je pense qu'il faut vite leur donner un statut particulier. Pour les protéger contre elles-mêmes, en fait. Pas parce qu'on en a besoin. Moi, je vois ça comme un geste humanitaire. Ailleurs, à d'autres époques, on érigeait des statues à la gloire des artistes. Encore maintenant, c'est pas pareil, mais il arrive qu'on compte jusqu'à 50 000 personnes à un enterrement d'artiste. Le marbre est trop cher aujourd'hui.

Ici, c'est pas pareil. Nous n'avons jamais eu de marbre, et l'importer est hors de prix. Et puis, on s'est dit un jour «Je me souviens» parce qu'on connaissait notre tendance à l'oubli. On s'est pas corrigées de ce vilain travers et on a même oublié notre devise, puisqu'on a encore voté dans le rouge. Et puis les artistes, c'est bien de les sortir quand il y a de la visite, mais le reste du temps elles sont gênantes. À moins qu'elles n'aient la brillante idée d'aller se faire aimer ailleurs. Là, je ne dis pas. Les autres doivent savoir mieux que nous.

Alors, un bon geste: donnez-leur un statut. C'est moins cher que le marbre importé de Carrare. Ou peut-être mieux: lisez leurs livres, faites tourner leurs chansons à la radio, faites-leur des spéciaux à la télé (pour un Gainsbourg soûl et sale et stupide, on devrait bien pouvoir se payer une dizaine d'artistes québécoises), remplissez leurs salles même si elles ne s'appellent pas Reggiani, Cabrel, Renaud ou Gréco. À bien y penser, ce serait peut-être mieux de les aimer que de leur donner un statut.

Septembre 1986

Illustration: Suzanne Côté.

31

Y a-t-il une manipulation
dans la salle?

OU
NON, PAS DE GOSSES DANS LES GOSSES!

Précieux-Sang, 15 septembre 1986

À la fille qui *ronne* la revue (il y a tellement de noms de filles dans cette revue qu'on sait pas qui c'est qui *ronne*),

Chère madame,

Pendant que ma petite fille est allée à sa réunion contre les revues cochonnes, je vous écris en cachette. J'ai pris votre adresse dans sa revue qu'elle laisse traîner partout parce qu'elle pense que je la lis pas. Je fais voir de rien parce qu'elle serait déçue si elle apprenait que je pense souvent comme elle. Elle a l'air de tenir énormément au conflit des générations et au fossé qui vient avec. C'est de son âge. Moi ça fait longtemps que mes jambes sont plus assez bonnes pour descendre dans les fossés. En tout cas, j'ai décidé de vous écrire parce que je suis indignée. (C'est Roberte qui m'a montré ce beau mot, c'est la première fois que je me risque à le placer quelque part. Connaissez-vous ce mot-là aussi, jeune comme vous êtes? En tout cas, ça veut dire que je suis en beau maudit.) J'ai écouté un programme de radio qui parlait de manipulation génitale... ou congénitale...? En tout cas, je sais pas si c'est le bon mot, mais je sais que c'est encore une affaire de sexe.

Y paraît que c'est rendu qu'on peut faire des bébés dans des pots, qu'on peut faire naître deux jumeaux pareils à 10 ans de distance, qu'on peut prendre le liquide de son mari et payer une femme qu'on connaît pas pour qu'elle essaie de faire un bébé avec sans faire l'acte, pis toutes sortes de cochonneries pareilles. (Moi je pense que mon défunt aurait jamais pu faire ça parce qu'il s'est plaint toute sa vie qu'il manquait de liquidité. J'en sais quelque chose...) Mais le pire de toute, c'est que le gars du programme a dit que les hommes allaient pouvoir avoir des bébés sans passer par la femme. Moi, mon cri du cœur c'est: NON!

Ça doit être à Radio-Canada que j'ai entendu ça. Ça prend bien rien qu'eux autres pour dire des affaires de fifis comme ça! Aye, des hommes avoir des bébés! J'ai bien agacé mes gendres avec leurs bedaines de bière. «Coudonc, es-tu enceint?» Mais c'était une *farce*. Je les vois pas avec un bébé dans leur ventre, surtout pas ces deux-là. Imaginez qu'ils tomberaient sur le ventre quand ils sont paquetés. Pensez-vous qu'ils vont arrêter de boire pour ça? Voyons. Même les AA ont manqué leur coup avec ces deux snorauds-là. Ils ont la couenne dure. Pis à part de ça, il leur manque des parties. Où c'est que le bébé va grandir? Entre l'estomac pis les intestins? Pauvre enfant. Moi, être un fœtus dans ces conditions-là, je partirais une campagne pour l'avortement si ça se pouvait. Déjà qu'ils mettent les enfants dans le ventre des femmes pis qu'ils s'en occupent pas, imaginez s'il fallait qu'ils les portent eux-mêmes. Ça serait effrayant. Faudrait mettre Brigitte Bardot là-dedans, elle est bonne pour la protection de la jeunesse. En plus, ils sont tellement douillettes qu'il faudrait s'en occuper comme des bébés pendant neuf mois. On aurait plus le temps de rien faire.

Non, non. Il faut pas que ça arrive. À part de ça, c'était à peu près tout ce qui nous restait de personnel à nous, la femme. Ils seraient assez prétentieux pour penser qu'ils pourraient être meilleurs que nous autres là-dedans aussi. Qu'est-ce qui va nous rester? Si les coqs Bendy se mettent à pondre, on n'a pas fini de les entendre crier pis de les voir se parader. Mais tu peux être sûre, par exemple, que les gynécologues vont se mettre à être meilleurs. Tu vas voir. Le gars du radio a dit que la meilleure place pour porter un bébé, pour un homme, c'est dans les testicules. J'ai failli faire une crise cardiaque. (J'ai le cœur faible depuis mon *infractus*.) Là, c'était trop: j'ai mis ma pilule en-dessous de ma langue pis j'ai fermé le radio.

C'est là que j'ai décidé de vous écrire. Il faut pas laisser faire ça. Allez-vous partir une pétition? Je la signe tu suite. Allez-vous aller casser les pots de liquide d'homme qui sont congelés partout? J'y vas. Appelez-moi. J'ai une bonne canne solide. Moi, madame, j'ai 78 ans, j'en ai élevé 11 à bout de bras sans manipulation ni rien, ça fait que je sais de quoi je parle. Pis je sais que mon mari aurait jamais pu faire ce que j'ai faite. Ça fait que je veux rien savoir de ces affaires-là, je veux même pas n'entendre parler!

Et je signe la tête haute,
Une mémée choquée noir

Octobre 1986

Illustration: Diane O'Bomsawin.

32

Y a-t-il un but dans la salle?

OU
RELANCE ET COMPTE

Aux rédactrices de *La Vie en Rose*,

Écoutez, les p'tites filles. J'ai entendu dire que vous aviez besoin d'aide et je viens à votre secours: j'en ai conclu que vous aviez enfin compris que votre problème majeur était le manque d'hommes, dans votre équipe et dans vos pages. Maintenant que vous avez abdiqué à ce sujet, on va pouvoir s'entendre.

Moi, je trouve que Réjean Tremblay a trouvé l'«affaire» dans sa série *Lance et compte*: il recrée des vrais héros. Vous devriez prendre exemple sur lui pour faire votre relance, parce qu'il y a une nette pénurie de héros dans votre revue. Et les femmes en ont besoin. Malheureusement, vous devez savoir qu'il n'y a pas une femme qui peut *scorer* comme un gars, à tous les points de vue. (Vous devez bien avoir fait un colloque là-dessus...) C'est clair dans le scénario de Tremblay: les gars sont faits pour *scorer*, autant sur une patinoire que dans un lit, et les femmes sont faites pour les admirer et se faire *scorer*. Ha! ha! ha!... un peu d'humour piquant n'a jamais fait de mal à personne, on s'en rend bien compte dans la chambre des joueurs (elle est bien bonne celle-là aussi. Avez-vous fini par avoir de l'humour après 15 ans de féminisme? Il serait temps). On a besoin de stimulation, on n'est que des hommes après tout, avec tout ce que ça suppose de saine compétition et de viriles mises en échec. *That's the name of the game!* (Un peu d'anglais dans vos pages ne ferait pas de mal non plus. C'est *sharp*.)

La vie est cruelle, on l'aime de même. Le héros Marc Gagnon va se faire tasser par le p'tit Pierre Lambert, et c'est ça la vraie vie. Vous l'avez enfin compris puisque vous voulez devenir compétitives, et vous serez obligées de jouer du coude, même si on sait que vous êtes loin dans la course. Ça ne fait rien, lâchez pas. Tout est possible: regardez la montée de Réjean Tremblay de Chicoutimi à *La Presse* à Montréal, puis à Radio-Canada, quasiment sur le même pied que J.R. dans *Dallas*. Chapeau.

Sa recette est pas compliquée, mais il fallait y penser: d'abord, une belle chanson-thème en anglais; puis des beaux gars athlétiques, adulés des foules en public et des femmes en privé. Ensuite, quelques Françaises, parce que c'est une coproduction, et des belles p'tites filles qui savent encore admirer ce qui est le plus admirable au Québec: les grands joueurs de hockey. En plus, elle les aiment assez pour les stimuler (Ha! ha! ha!...) et les attendre sagement à la maison en leur pardonnant leurs petits écarts, parfaitement normaux, dus au stress épouvantable qu'ils sont obligés de vivre, les pauvres gars. C'est de toute beauté. On mélange tout ça et ça lève comme une belle pâte.

Il fallait que quelqu'un reprenne les choses en main (Ha! ha! ha!...) un jour, et il est heureux que Radio-Canada et tous les organismes subventionneurs l'aient compris et aient donné la chance à Tremblay d'être la bonne personne pour le faire. On vous en bouche un coin, les filles. Vous pensiez pas qu'on allait se redresser aussi vite après vos attaques répétées contre notre bon vieux patriarcat!

Non mais, entre nous, c'était plate *La Bonne Aventure*. Je n'ai pas hâte de voir *Des Dames de cœur*. Enfin, Radio-Canada étant une TV d'État, elle doit s'efforcer de plaire à tout le monde, j'imagine. *La Bonne Aventure* avait des bonnes cotes d'écoute, je vous l'accorde. Mais ça devait être juste des femmes qui écoutaient ça. Les chiffres sont faussés en partant. Ça ne compte pas.

Avez-vous remarqué aussi tous les commerciaux conçus en fonction de *Lance et compte*? C'est subtil sans bon sens: on ne peut pas oublier qu'on est en train d'écouter LA série télévisée, ça marche à mort. Vous devriez faire pareil pour votre relance: avoir plein d'annonces de commerçants qui diraient: «On est fiers d'annoncer dans *La Vie en Rose*.» Et quand il y aurait une photo de belle femme, elle pourrait être habillée seulement avec des pages de la revue judicieusement mises aux bons endroits. Ce serait *exciting*! Personne ne pourrait jamais penser être en train de lire *Châtelaine*. Plus d'erreur possible.

Les gens se mélangent tellement facilement: il faut les aider, les prendre par la main, leur expliquer toujours la même chose. C'est ça le bon *marketing*. Vos articles sont souvent trop durs à comprendre et ils racontent des choses qu'on ne sait pas d'avance. C'est dangereux pour les ventes, faites attention. Regardez Tremblay: il a compris qu'il fallait simplifier au maximum la grande complexité d'un joueur de hockey. Parce qu'il ne faut pas que ça vire intellectuel: les joueurs auraient trop l'air tapettes. Comprenez-vous? Il faut accepter de faire des compromis, sinon on ne passe jamais.

J'espère que ces quelques conseils vous seront utiles pour votre relance (il n'y a pas de quoi, ça m'a fait plaisir). J'aime voir des p'tites filles se retrousser les manches (et le reste... Ha! ha! ha!) , des p'tites filles baveuses qui n'ont pas froid aux yeux. Ça me stimule quand ça ne cède pas trop vite.

Lâchez pas, on vous aime même choquées.

JOS «RAMBO» BLEAU

Novembre 1986

Illustration: Nicole Lévesque.

---(33)---

Y a-t-il un *oui* ou un *non* dans la salle?

Vite, j'en ai besoin. Je cherche un *oui* authentique et un *non* authentique. J'en cherche un seul à la fois parce que ça m'étonnerait que je tombe sur une talle pleine à ras bord. C'est aussi rare que la vérité, la justice, la compassion et autres fraises en hiver. *Oui* et *non*: les deux mots les plus courts et les plus compliqués de la langue française. Je suis même allée jusqu'en thérapie pour les trouver, sans succès pour l'instant. Mais la thérapie est jeune et le problème est vieux, je ne désespère pas. Et quand on en trouve, on risque de tomber sur un filon ou un geyser, ça dépend si on les voit solides ou liquides. Ou ça creuse creux ou ça jaillit. Ça dépend du mode de fonctionnement. Je ne voudrais pas entrer dans l'intime, le *yin* ou le *yang*, ces fruits juteux et exotiques.

Tout ce branle-bas de combat parce que je veux faire le ménage. (Elle n'est pas capable de prendre une balayeuse comme tout le monde?) Mes chats ont peur de la balayeuse. Je n'aime pas non plus les coups de balai ou les coups de torchon, c'est trop brutal. Alors, il ne me reste toujours qu'une solution: m'évanouir entre le *oui* et le *non*, pour emprunter une image saisissante à Suzanne Jacob[1]. Bon, évidemment, vous aurez vite

---

1. «À vous qui vous évanouissez entre le *oui* et le *non*», tiré du poème *Salut*, de Suzanne Jacob, publié en postface.

compris que je ne parle pas de faire le ménage de mes papiers (en passant, je n'y arrive pas non plus, jeter me traumatise) ou de mon appartement, mais de ma vie, ce qui suppose une quantité faramineuse de recoins pleins de mottons et de moutons, de nœuds, de *non* (pas) dits et de *oui* (à) dire.

Je me suis rendu compte en décembre 1983 que je ne savais dire ni *oui* ni *non* (pourtant j'en jase un coup, mais justement, j'ai beaucoup de mots de remplacement, un formidable vocabulaire de diversion). Mais je croyais alors pouvoir m'en passer, contourner le problème. (J'étais prétentieuse à cette époque, ça m'a passé.) Et la situation se dégradant, bien sûr, comme plusieurs situations savent si bien le faire, je me suis retrouvée à faire des choses que je n'avais pas envie de faire, à ne pas faire des choses que j'avais envie de faire, à voir des gens que je n'avais pas ou plus envie de voir, à écouter des choses que je n'avais pas envie d'entendre: loin du centre, loin du cœur!

Et puis, j'ai eu cette illumination, comme un vertige ou une bouffée de chaleur: quand on est incapable de dire *non*, on est aussi, par conséquent, incapable de dire *oui*. Et c'est ça le pire. Pour moi en tout cas. (Tiens, des relents de référendum...) Je n'avais jamais dit *oui* de ma vie (sauf au référendum...). Merde. Incapable de fermer la porte, incapable de l'ouvrir, incapable de mettre le répondeur si je suis là pour répondre, incapable de n'être là pour personne, incapable. C'est rageant.

Mais c'est fini tout ça. Je viens de déménager et ma nouvelle porte sait se fermer. C'est du dernier chic. Ça n'empêche pas d'avoir des fenêtres partout. C'est limpide. Je me pratique sur mes chats à leur dire *oui* et *non* (ils sont en train de virer fous, d'ailleurs) parce que c'est plus facile que sur des gens. Je considère que je suis en laboratoire en ce moment. Mais attendez que je tombe dans la pratique: avec des *oui* et des *non* authentiques, je vais valoir très cher. Je serai hors de prix, dans le luxe le plus total. Et pourtant, curieusement, plus abordable qu'avant. Allez y comprendre quelque chose...

P.S. NOTE DE RECHERCHE: Il semble que même si on dit un vrai *oui*, on peut se faire répondre *non*. À moins qu'on ait pris pour un *oui* authentique un simili *oui*? Vérifier. Et le *oui* est-il contagieux comme le rire? Vérifier.

Décembre 1986

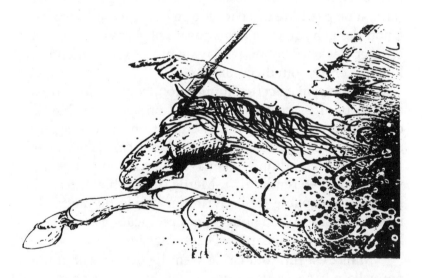

Illustration: Marthe Boisjoly·

34

Y a-t-il une cenne noire dans la salle?

Je n'étais jamais allée dans une banque, rue Saint-Jacques. N'oubliez jamais que je viens de Jonquière, et qu'à Jonquière, il n'y a pas de rue Saint-Jacques. On y trouve des banques qui ont plutôt l'air de tirelires à côté des sièges sociaux de la Banque de Montréal, de la Banque Nationale, Royale, Globale, Déloyale, Pontificale, Monumentale, Occidentale... Oups! (Excusez mon emportement.) (Je ne parle pas des Caisses populaires qui, justement, sont trop populaires et donc très vulgaires.) On sent très fort que dans ces banques, on peut empiler l'argent à l'infini tellement les plafonds sont hauts. J'ai failli virer à 180 degrés quand j'ai mis les pieds dans cette cathédrale de la finance. Je venais changer un simple chèque et j'ai cru un instant que si je n'étais pas un camion de la Brink's, je n'aurais même pas le droit d'y entrer. J'ai failli sortir mon mouchoir pour effacer les traces de mes bottes. (J'avais honte de mes bottes ce jour-là, elles n'arrêtaient pas de faire de l'eau mêlée de calcium et de déchets charbonneux non identifiés. Elles le faisaient exprès, j'en suis sûre. La statue gigantesque au glaive pacifique, censée représenter le *cash*, je suppose, m'a regardée de travers.) La queue de clients, qui d'habitude remplit une banque à dimension humaine et nous fait retourner sur nos pas parce qu'on n'a pas le courage d'attendre, avait l'air d'une petite queue ridicule, une ficelle presque, laissée là négligemment par une femme de ménage pas trop regardante (et payée trop cher pour la peine).

Marbre, dorures, colonnes doriques (ioniennes, corinthiennes??), j'entrais dans une église pour assister à une messe grandiose. J'hallucinais. Paniquée, je me demandais s'il fallait que je m'agenouille, que je sorte la langue ou que je batte ma coulpe parce que c'était de ma faute. À Jonquière, le marbre ne s'est jamais rendu. Le parc des Laurentides n'est pas rentable à traverser. De toute façon, on sait bien, tout le monde, que l'argent ne va jamais dans les régions éloignées: donc, pas besoin de banques éléphantesques, ça serait ridicule pour aller déposer son chèque de bien-être, de chômage ou de vieillesse. Une tirelire suffit pour les rouleaux de cennes noires.

À Montréal, ça fait longtemps que les cennes noires n'existent plus. On les garde uniquement en souvenir, pour les enfants ou pour la guignolée. (La madame de la paroisse Saint-Jean-Baptiste vient de passer pour les pauvres.) Du vrai argent, il faut que ça craque dans les doigts, pas que ça sonne au fond d'une poche. Et idéalement, il faut que ça ne fasse pas de bruit. Mais selon des études, il faut un certain montant, assez élevé, pour que le bruit cesse et que l'argent devienne invisible. Non seulement il ne faut pas l'entendre, mais il ne faut pas le voir non plus. La plupart des gens ne savent pas vivre, en fait. Ils sont trop ostentatoires avec l'argent, c'est mauvais. L'argent n'aime pas ça. Il est très susceptible et boudeur. Il faut savoir le prendre, sinon on est obligé-e-s de s'en passer.

Alors je me suis dit que c'était très stratégique et très intelligent de la part des hommes qui ont pensé les banques de la rue Saint-Jacques et d'ailleurs de s'inspirer des cathédrales. Ça impressionne les fidèles. Parce que si elles avaient été construites à une échelle trop humaine, personne n'aurait pu croire au pouvoir infaillible de Dieu, donc de l'Argent. Les curés l'ont compris depuis deux millénaires déjà. Ils se sont payé des tas de tiares éblouissantes avec ce qui fut, je crois, la première véritable idée qui mit au monde le *marketing*: en mettre plein la vue. Depuis, on a eu droit au Stade et à *Dynastie*, entre autres éléphants enflés.

Tout ça pour dire que j'ai un rapport très difficile avec l'argent. Ils ont parlé de moi à la radio l'autre jour. Ils n'ont pas nommé mon nom, mais ils ont dit que je faisais partie des statistiques: je gagne tant, je n'écoute pas beaucoup la télé, je suis propriétaire d'un appartement, etc. Je ne me souviens plus pourquoi ils parlaient de moi, mais c'est vrai que je viens de m'acheter un appartement. Et je vis dans la hantise que je ne pourrai pas le payer. Ça doit être parce que je viens de Jonquière. Selon les statistiques, je peux me le payer. Moi, je n'en suis pas sûre. Surtout depuis que je me suis sentie comme un pois chiche à la Banque de Montréal, rue Saint-Jacques. Et je déteste faire partie des statistiques en plus. Louise, elle, dit qu'elle meurt d'envie d'entrer dans celles qui partent à 40 000 $ par année. Je pourrais peut-être l'emmener avec moi dans les statistiques, mais je trouve qu'il fait trop froid. Puis quand il n'y a pas d'odeurs, moi, je m'ennuie.

Janvier 1987

Illustration: Johanne Cullen.

---

(35)

Y a-t-il une passion dans la salle?

Ma nouvelle voisine d'en haut a peur de moi parce que je parle trop fort à son sujet, devant elle. Autrement, elle me trouve plutôt silencieuse d'un plancher à l'autre. Elle voudrait même m'entendre plus parfois: ça la rassure. Les bruits de marteau qui cogne ou de bain qui coule la rassurent. Mais le bruit que je fais dans les relations humaines lui fait peur. C'est l'unique endroit où je fais du bruit, maintenant.

Avant, parce que les humain-e-s me terrorisaient, j'éprouvais le besoin de faire craquer les planchers, ou crier les ressorts du sofa, ces petites choses anodines qui crispent les mâchoires de tout le monde et augmentent le coefficient de tension. Surtout faire craquer les châteaux d'une chaise berceuse: c'était ma spécialité. Maintenant, je fais rarement des bruits de cette sorte. Sauf par nostalgie, parfois. Mais je fais du bruit dans les relations humaines, parce que ça me passionne. Et plus j'aime quelqu'un, plus j'en fais. Je suis gourmande. Ma voisine d'en haut ne comprend pas ça. Elle est tout aussi passionnée que moi, mais elle est (trop) bien élevée, elle. Elle pense que je lui en veux.

C'est vrai que ses oreilles sont les plus petites que j'aie jamais vues, et que ma voix est du type stentor quand je m'enflamme. Et certains soirs, je m'enflamme à rien. Je suis du genre incandescent: la lave de mes volcans déferle sur tout ce qui est animé ou inanimé, sans restriction (et ça ne part pas au lavage...). J'admets que ça peut faire peur.

Surtout que tout ce qui existe en ce moment n'est inventé que pour rendre l'isolement plus confortable ou plus important, selon. Ç'a commencé avec le téléphone: enfin, on n'avait plus besoin d'aller se voir pour s'entendre. Tout ce qui a été mis sur le marché par la suite est allé dans le même sens. C'était presque visionnaire, me direz-vous, avec la profusion actuelle de MTS. Si on n'avait pas le téléphone, la télé ou le magnétoscope, on se sentirait bien seul-e-s. Mais on est déjà tellement habitué-e-s à ne plus avoir de contacts qu'on se fout de ne plus pouvoir baiser à cause des MTS. Le monde est bien fait, quand même. Tout arrive comme si c'était calculé, grâce à la grande vision de la science.

En France, ils sont encore plus avancés: ils ont le Minitel et ils se parlent sur écran, ils se séduisent sur écran et se prennent dans leurs bras sur écran. Je suis sûre que les MTS sont moins répandues chez eux. Évidemment, ça coûte plus cher en crème hydratante parce que les gens sont en train de sécher sur place, ça coûte plus cher aussi en thérapeutes et en fantasmes, mais c'est un investissement minime comparé au péché qui *paraît*, soigné aux antibiotiques, et aux relations humaines où l'on risque à tout moment de laisser sa peau. Au propre comme au figuré.

Je comprends que ma passion soit épeurante: c'est une manière d'entrer en contact un peu violente comparée au *Saran Wrap* dont il faut s'enrober aujourd'hui si on ne veut pas se faire grafigner ou éclabousser, de microbes ou d'idées. Je ne suis pas hermétiquement fermée, alors il y a des scories qui passent à certains moments, comme des grosses roches dans ma voix ou de la flamme de dragon dans ma bouche. En plus, je me trompe parfois et c'est pire: ça sort un peu croche. Mais je continue vaillamment mon désir de contact.

Ma voisine d'à côté, elle, dit que je rue dans les brancards. C'est vrai que j'ai souvent un ton d'urgence qui fait penser à une sirène d'ambulance. Je crie parce qu'il y a quelque chose de malade à mettre sur ces brancards. *Comment* je m'exprime est aussi libérant, pour moi, que le rock pour d'autres.

Je n'explique pas tout ça pour excuser mon manque fréquent de subtilité. Je le fais pour vous avertir que moi, en ce moment, je suis dans une lutte à finir entre la GI, la Génération de l'isolement, et l'AGE, l'Association des grégaires enflammé-e-s, dont je fais partie avec quelques autres. Sale, grossière, tonitruante, mais vivante. (Tout en faisant attention aux oreilles fines de ma voisine d'en haut. Quand même. Je parle fort, mais j'écoute tout aussi fort...)

Février 1987

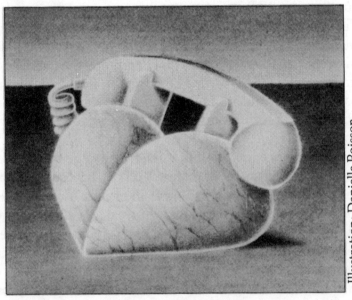

Illustration: Danielle Poisson.

36

Y a-t-il un hasard dans la salle?

Ça y est, la Science fornique. Les lits vont devenir une espèce en voie de disparition, comme les baleines bleues. Je le savais. Je les voyais venir, les scientifiques, avec leurs seringues et leurs éprouvettes en forme de phallus. Déjà. C'était donc de la préméditation.

Et voilà que les vagins sont remplacés en douce par des bocaux de vitre: le réceptacle parfait, édenté d'avance, lisse, transparent, inodore, incolore, contrôlable, magnifique. Sigmund, le fameux continent noir vient de prendre la même débarque que l'Atlantide. Tu peux dormir sur ce qu'il te reste de tes deux oreilles, la Science a vaincu l'imaginaire et son cortège de maladies.

Depuis qu'une seringue peut s'accoupler avec un bocal, il n'y a plus de complexes, plus de gêne mais seulement des gènes, plus de cris de jouissance mal placés derrière les portes, ces cris dont on ne sait même pas d'où ils viennent tant ils sont profonds et sans aucun rapport avec le quotidien et le four micro-ondes. Mais ces cris, qui ne nous ressemblaient pas à cause de notre haut niveau de civilisation et de raffinement, donnaient parfois des bébés si les deux corps en présence n'étaient pas du même sexe. (Faisons ensemble un exercice de mémoire, c'est loin tout ça.) (Quel *pattern* d'hystérie quand on y pense...) Finies les MTS: les condoms ne sont plus bons qu'à faire des ballounes. Jean-Yves Desjardins peut aller se rhabiller et alimenter son feu de foyer avec ses caisses de livres. Plus de problèmes de sexe. Nous n'aurons plus qu'à aller faire nos dépôts régulièrement aux banques de sperme et d'ovules, puis à revenir se regarder dans les yeux et à cultiver l'Amitié.

La reproduction est assurée, nous pouvons enfin nous reposer de l'Amour, cette horrible maladie souffrante qui finit mal 1 fois et ¾ sur 2 et qui brise systématiquement ce qui aurait pu être de si belles amitiés à cause du Sexe qui rend aveugle, sourde et folle, qui fait prendre des *Valium* ou des antibiotiques, et qui fait augmenter en flèche le taux de journaux intimes et de poèmes plates. Merci la Science, vive la Mère Machine!

Ça y est, j'ai mal au cœur. Non, ce n'était pas un discours de Gilberte Côté-Mercier ou de Réal Caouette. C'était encore mon imagination qui galopait comme si elle *sprintait* dans une fin de course. J'ai des montées d'imagination comme d'autres ont des montées de fièvre ou de lait. Et après, j'ai mal au cœur.

Tout ça parce que Nicole a fait une farce. Elle a dit qu'elle craignait que les gens qui naissent après avoir été des embryons congelés soient tous frigides.

C'était drôle sur le coup. Mais après — je ne sais jamais quel bord va prendre mon imagination — je me suis mise à avoir peur pour le hasard. J'ai un faible pour lui. Et je me suis dit que si on continuait de vouloir le contrôler et de le traiter de chien sale comme les scientifiques le font à mots couverts, il allait se retourner contre nous. Déjà que les scientifiques n'étaient pas contents de la Terre et qu'ils ont essayé de la refaire à leur image et à leur ressemblance. Ça n'est pas joli joli. Et la Terre a commencé à se venger, à craquer de partout...

Voilà qu'ils s'en prennent maintenant aux humains qui naissent avec des tas de tares et qui ont le défaut majeur de ne pas être éternels. Les scientifiques ne peuvent pas laisser faire ça, chevaleresques comme ils sont.

Alors ils volent à la rescousse des couples infertiles. (Qu'ils disent...) Ils ont dit aussi, dans le temps, qu'ils avaient aidé à gagner la guerre, le 6 août 1945. Moi j'aurais préféré qu'ils laissent faire le hasard. Tout le monde a eu peur. Et on sait bien maintenant que tout le monde avait raison d'avoir peur... Saint Testart[1], priez pour nous.

Mars 1987

Illustration: Gail Geltner.

---

1. Jacques Testart, biologiste, est l'un des pères du premier bébé-éprouvette français. En septembre 1986, il lâchait sa bombe: «Je n'irai pas plus loin», et proposait un moratoire international sur la recherche en reproduction humaine.

37

Y a-t-il un REÉR dans la salle?

M. Michel Bélanger
Président de la Banque nationale
du Canada
600, rue de la Gauchetière Ouest
Montréal

Cher monsieur,

J e viens de trouver un beau bloc-notes presque neuf
dans des poubelles mitoyennes au carré Dominion, et
je vous écris, assise sur le banc de la société, là où j'ai
choisi de m'asseoir avant qu'on m'y installe de force.
(J'ai mon orgueil.) J'ai pas trouvé d'enveloppe ce jour-là,
alors excusez ma feuille pliée avec votre adresse dessus.
Et pis, je *truste* pas les postes. Je préfère porter moi-
même ce que j'ai à dire. En passant, vous avez un bien
beau portique: grand, bien chauffé, avec de bons gar-
diens. J'ai dû leur promettre de sortir tout de suite s'ils
me juraient qu'ils vous remettraient ma lettre. C'est
comme dans vos banques. On fait des difficultés à du
monde propre qui porte du beau linge, alors imaginez ce
qu'on me fait à moi quand j'arrive au guichet. C'est quasiment un cas de *sit-in* à chaque fois que je veux déposer
mon chèque de Bien-être. Ils me reconnaissent jamais.
Pourtant, je suis très reconnaissable. À chaque fois, je

dois leur prouver que je suis née. Les caissières font une réunion spontanée autour de ma signature en chuchotant pis elles finissent toujours par aller chercher le gérant. J'en suis à me demander si ces manières bizarres feraient pas partie de vos règlements, tellement c'est toujours pareil. En plus, je me fais haïr par le reste de la queue parce que je passe trop de temps au comptoir. Mais on s'habitue. J'apporte maintenant mon jeu de cartes et j'ai le temps de faire une petite patience. Comme ça, ma pression monte pas et je perds pas de temps à haïr votre système de fou. J'ai déjà suffisamment d'usure et pas mal de millage, j'évite d'en rajouter! (En passant, vous auriez pas un vieil As de pique qui traînerait? J'ai juste 51 cartes. Directeur de banque comme vous êtes, vous devez être un gros *gambler*... Et un 4 de carreau aussi. Comme il lui manque un morceau, je le reconnais toujours et ça me porte à tricher.)

Pour en revenir à mon propos, j'ai une question à vous poser. Je l'ai essayée sur vos employé-e-s, mais à chaque fois, ça les a saisi-e-s. (Moi aussi j'ai été saisie en 1973, alors je sais ce que ça fait.) Si on n'a pas d'adresse, est-ce qu'on peut quand même prendre un REÉR? J'ai 51, comme mon paquet de cartes, faut que je commence à penser à mon avenir. Avant, je recevais mes chèques de B.S. au dépanneur *Chez Mo-Mo*. Doris (la femme de Mo-mo) me gardait mon chèque. Mais les boubou-macoutes ont dit que mon état était pas réglementaire vu que j'habitais pas chez Mo-Mo (c'est bien trop petitement là-dedans. Je suis obligée d'ouvrir la porte du frigidaire à liqueurs pour pouvoir me virer de bord au bout de la rangée. On est obligés d'aller gratter nos billets de loto dans la rue tellement c'est empilé. C'est juste si on a de la place pour prendre son argent dans sa poche.) Alors, j'ai pris un arrangement avec le B.S. et je vais chercher mon chèque au bureau, à chaque mois. Mais je

voudrais pas que le B.S. sache que je vous ai écrit pour
un REÉR. Ça doit pas être réglementaire. Alors, écrivez-
moi pas là. Mais j'ai un horaire assez facile à suivre. Le
lundi (c'est sacré), je vais faire mon lavage dans les toi-
lettes des Autobus Voyageur, au coin de Berri et de Maisonneuve. J'en ai pour un bon bout de temps parce que
je fais sécher mon linge au séchoir à main qu'il faut ral-
lumer aux 30 secondes. De 5 à 7, je fais les poubelles où
elles passent le lundi. Là je suis plus difficile à trouver
parce que j'essaie des nouvelles poubelles à chaque fois.
Mais à 8 heures, j'écoute toujours *Des Dames de cœur* à
la Brasserie Brad'Or, au coint de Saint-Laurent et Prince-
Arthur. Je couche pas toujours à la même place, mais
souvent au métro Berri, sur le banc très large du côté Est
de la rue. L'hiver, je vais souvent aux Galeries Dupuis
pour regarder le film de l'après-midi à travers la vitrine
de chez Atlantique; ils ont 22 T.V., je vois pas pourquoi
je m'en achèterais une vu qu'ils les ouvrent toutes et que
je manque jamais mes programmes. L'été, je me tiens
plus au carré Saint-Louis. Avec tous ces repères (ou
repaires? je sais jamais comment ça s'écrit), vous devriez
être bon pour me trouver facilement. Écrivez-moi à une
de ces places ou à toutes en même temps. J'ai pas
d'adresse, mais j'ai une certaine habileté à me faire
reconnaître: c'est moi qui as ma garde-robe au grand
complet sur le dos et tout mon appartement dans quatre
sacs de chez Eaton et un de chez Provigo (c'est les plus
solides). Écrivez ça au facteur sur l'enveloppe, il peut
pas me manquer.
    J'ai pas d'adresse mais j'ai un nom. Et je signe,

Rosa-Rose Rozon

Avril 1987

Illustration: Gail Geltner.

38

Y a-t-il une raison de vivre dans la salle?

Je ne sais pas si le facteur a souffert d'une bouffée subite d'uniforme la semaine dernière, mais il s'est transformé en police sous mes yeux. La métamorphose était hallucinante. Il m'a fait une scène paternalo-policière comme quoi je n'avais pas de bon sens, que j'étais une négligence criminelle en puissance parce que je n'avais pas pelleté mon entrée de l'hiver, que sa vie était en danger chaque fois qu'il s'approchait de ma boîte à malle et qu'il n'était pas payé pour être héroïque. Essoufflé, rouge comme un Tampax qui a rigoureusement accompli sa tâche, il a terminé sa diatribe en beauté en me menaçant de confisquer mon courrier jusqu'à ce que je vive comme du monde. Il n'a pas dit que j'étais la honte de la rue Christophe-Colomb, mais je suis sûre qu'il l'a pensé.

Moi, je me suis dit intérieurement (parce que je n'ai pas pu placer un mot vu qu'il ne m'a pas laissé un seul silence disponible) qu'il devait haïr l'hiver au plus haut point. Puis, je me suis dit que je devais manquer de raisons de vivre, parce que pelleter mon entrée n'est pas pour moi une raison de vivre suffisante. J'aime la neige, j'aime y laisser des traces et, pour moi, une entrée est faite pour être tapée et non pelletée, ce qui crée un fossé infranchissable entre mon facteur et moi. Vous me direz que ça irait très mal à Montréal s'il fallait que la Ville pense comme moi. Exact. Mais moi, je n'ai pas d'autobus, de camions de livraison, d'autos à stationner et de personnes âgées qui viennent sonner à ma porte. Quand mes ami-e-s et moi on aura 70 ans en montant, je verrai à réviser ma position. En attendant, j'endure des commentaires désobligeants à droite et à gauche parce que je ne vis pas comme du monde, et je raisonne avec l'insouciance et la cruauté de la jeunesse qui a encore ses deux jambes bien solides.

Les enfants, eux, adorent venir chez moi parce qu'ils ont l'impression de vivre une formidable aventure, d'entrer dans un tunnel mystérieux où on ne sait pas si peut-être il n'y aurait pas par hasard un beau monstre bien effrayant. Ils vivent l'arrivée à ma sonnette comme une victoire, le sourire fendu jusqu'aux oreilles. Ça fait plaisir. On ne peut pas plaire à tout le monde et aux enfants, et je soupçonne mon facteur d'être sur le bord de prendre sa retraite. La neige est faite pour fondre, pas pour être tassée dans un coin comme si elle n'existait pas. Je songe à la valorisation intense du soleil quand il viendra fondre la montagne devant chez moi et ça me réjouit.

Des mauvaises langues diront que j'ai un très bon réservoir d'excuses (pour le moins fantaisistes) pour justifier mon incurie. (Langues de vipère, ne vous mordez jamais la langue, vous allez vous empoisonner...) Mais pas du tout. Je ne sais pas vivre comme du monde parce que je manque de raisons de vivre. Je n'ai pas d'enfant, et je traite mes chats en colocataires parce que je n'ai pas le sens de la propriété. Faire de l'argent, acheter un appartement, prendre un REÉR, jouir de la satisfaction du devoir accompli, pour moi, ne sont pas des raisons de vivre. Je dois avoir un défaut hormonal grave: je ne sécrète pas assez de raisons-de-vivre ou de raisons-de-se-lever-le-matin. En dehors des cinq sens, de l'amour, et parfois, de la création (toutes choses précaires et risquées!), j'en produis peu. Comme un homme qui n'arrive pas à faire d'enfant parce qu'il ne fabrique pas assez de spermatozoïdes. Et les raisons de vivre qu'on me propose dans cette société me feraient faire de l'eczéma... si je faisais de l'eczéma.

Mon dépanneur aussi trouve que je mène une drôle de vie: je lui téléphone au moins une fois par jour pour une livraison, et souvent, je lui téléphone de chez mes voisines d'à côté. Il finit par ne même plus savoir où j'habite en réalité. Il doit trouver que nous manquons (constamment) de l'essentiel. J'appréhende la scène qu'il me fera un jour prochain sur le fait que je «ne sais pas vivre comme du monde».

Quant au camelot du *Journal de Montréal*, il découvre le monde chaque fois qu'il sonne à ma porte pour se faire payer: il n'a jamais vu ça, une vie pareille. (Il faut dire qu'il est encore jeune.) Il a le don de me réveiller à tout coup pendant ma sieste, vers 6h, 6h30 p.m. En plus, je n'ai jamais d'argent sur moi pour le payer, parce qu'il vient comme un voleur, le p'tit Jésus-Christ. Il me regarde d'un drôle d'air et je l'entends partir en courant quand je referme la porte. Comme si j'allais le contaminer et l'empêcher de fonder une famille.

Tout le monde qui me regarde vivre trouve à redire. Je ne sais pas vivre. Mais je paie mes dettes. C'est toujours ça de pris. La vie vient sans mode d'emploi. Même s'il y en avait eu un, je ne l'aurais pas lu: il aurait sûrement été en anglais. Et je ne peux pas souffrir les modes d'emploi, quelle que soit la langue.

Mai 1987

NOTE DE 1988:
Dernière chronique parue dans ce qui fut (nous ne le savions pas alors) le dernier numéro de *La Vie en Rose*.

---(39)---

Y a-t-il une *Vie en Rose* dans la salle?

Bon. On pensait que c'était réglé, et voilà que l'eau remonte dans le tuyau et qu'il faut appeler le plombier en pleine nuit à 50 $ de l'heure. Ce n'est pas possible. Ce n'est pas une *Vie en Rose* ça. Alors quoi? Changer le titre? Il n'en est pas question vu qu'on y croit encore plus qu'en l'infaillibilité du pape, ce qui est déjà un terrible péché.

La *Vie en Rose*, c'est comme l'amour en fait: on met le doigt dans l'affaire (!) et on se ramasse avec le bras dans le tordeur et le corps au grand complet, ça ne prend pas de temps. Ça commence par un petit bec sur le front, ça passe par le *french kiss*, le grand frisson, le grand plongeon, et la première affaire qu'on sait, on est dans un appartement avec une personne dont on ne peut plus subitement se passer. En plus, souvent, avec un enfant qui n'est même pas à soi mais qu'on finit par aimer à la folie, pas juste parce qu'il ou elle a le même sourire que sa mère ou son père, mais pour elle, pour lui, personnellement.

Et par-dessus tout ça, il y a la vie qui recommence chaque matin, brumeux ou pas, avec les poubelles, la brosse à dents, les gardiennes et l'argent qui fuit par tous les pores de la peau, en plus de Provigo, de Jean-Coutu et de tout le cortège de marchands qui ne nous veulent que du mal, c'est sûr. Qui cherchent à tuer l'amour, c'est sûr. Mais dans le vrai amour, qui n'est pas qu'en passant, le pire, c'est qu'on finit par aimer la rue Mont-Royal, Provigo et Jean-Coutu, parce que l'amour rend invincible aux tueurs. L'amour est le plus grand choix que nous ayions à faire de notre vivant.

La *Vie en Rose* c'est pareil. Ce n'est pas une aventure, ce n'est pas juste en passant, ce n'est pas non plus en attendant autre chose de mieux, c'est là pour durer.

Mais on ne peut pas durer toutes seules. L'amour appelle l'amour. L'histoire que vit chacune des lectrices et chacun des lecteurs de *La Vie en Rose* à chaque mois est une chose très personnelle. Chacun-e y met ce qu'il souhaite, y prend ce qu'il aime, y vit des émotions qui lui appartiennent. C'est peut-être pour ça que *La Vie en Rose* est fragile: en plus d'une revue mensuelle, c'est une histoire d'amour à vivre, qui implique un choix, une volonté, un oui. Et avec ce oui doit venir un abonnement. Parce que les tueurs, dans le cas de *La Vie en Rose*, c'est le manque d'argent, le manque de moyens, la compétition en kiosque. Pour être invincible, *La Vie en Rose* doit doubler ses abonnements, ce n'est pas compliqué: 20 000 que ça prend. C'est une grosse opération. Chaque année, il faudra rechoisir *La Vie en Rose*, ne pas abandonner, redire oui. Il faudra y penser, ne pas laisser le coupon d'abonnement au hasard, ne pas le perdre surtout, trouver un timbre, le coller dessus et le mettre à la poste avec un chèque. Ce n'est pas compliqué pourtant. Comment ça se fait qu'on n'y arrive jamais? Y a-t-il quelqu'un-e dans la salle?... Évidemment, si vous n'aimez pas *La Vie en Rose*, si vous ne trouvez pas qu'il est important de maintenir sur le marché un magazine de l'actualité vue par des femmes, ne répondez pas. Il vaut mieux l'achever tout de suite, elle aura quand même pu exister pendant sept ans. On en est fières.

Nous, on croit que c'est encore possible. On croit que vous avez été distrait-e-s un petit moment ou que vous vous êtes endormi-e-s au volant dans une courbe. Mais il n'y a pas de mal, tout le monde s'en est sorti indemne.

Nous continuons de croire que les féministes, femmes ou hommes, sont de plus en plus une race en voie d'apparition, comme disait mon amie Lise, pour la plus grande santé de toute la société. Parce que nous, les femmes, on n'est pas une cause en soi, mais on sait qu'on fait toujours beaucoup d'effet, surtout quand on est féministes et de bonne humeur.

Rien de pire pour éliminer l'ennui de la planète.

Nous suivez-vous?

NOTE DE 1988:

Cette dernière chronique, qui ne fut jamais publiée, avait été écrite en mai 1987, spécialement pour servir de lettre circulaire en vue d'une campagne massive d'abonnements. Mais il était déjà trop tard. Je crois que nous étions toutes trop fatiguées, particulièrement les femmes qui assuraient la permanence.

Illustration: Gail Geltner.

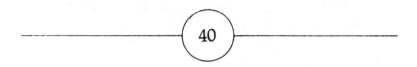

Y a-t-il une onde hertzienne
dans la salle?

Y avait-il jadis quelque chose de plus beau qu'une onde hertzienne qui ondulait, invisible et précieuse, jusque dans nos maisons? Elle transportait, sur son dos de chameau, de la grande musique, la voix de Charles de Gaulle parfois, en des temps plus étouffants de l'Histoire, et même le chapelet en famille dans la grande noirceur d'un Québec pieux et bâillonné. Indifféremment, les ondes transportaient l'espoir, le désespoir, la vie et la mort, le plaisir, les rires et la culture. Tout ça arrivait à destination dans une petite boîte carrée à qui on essayait de faire cracher sa lumière sans trop de chats dans la gorge. Pour être bien sûr de ne rien perdre, on se rassemblait autour de la boîte, et les voix anonymes ou aimées nous rassuraient ou déclenchaient une verte discussion politique. Mais au-delà de tout ça, les ondes nous gardaient *ensemble*.

Puis il y a eu des antennes pour enlever la friture, puis des satellites. Voilà que nous étions branchés sur le monde à temps plein, et que les timides ondes des débuts se muaient en bombardement. Elles se sont multipliées entre elles, l'intimité aidant, se sont complexifiées, puis elles ont fini par devenir co-sanguines. Ainsi affaiblies, elles se sont mises à vouloir transporter des images pour sauver les meubles et retrouver plus facilement les épaves au fond des mers et sur les champs de bataille. C'était une belle idée. Les boîtes ont grossi, elles sont devenues transparentes. Elles continuent parfois de rassembler les gens autour d'un match de foot dans un café ou d'une partie de hockey dans une taverne. Mais autrement, les gens doivent négocier leur horaire pour regarder leurs ondes préférées. On dit même que ça peut finir par une porte qui claque ou un divorce.

Tout ça, c'est la faute des ondes hertziennes qui sont devenues gourmandes et mégalomanes. Nous, les humains, subissons leur tyrannie. Nous sommes leurs victimes, en fait, confortablement installés les pieds sur la table, une bière à la main dans cette civilisation du choix qui nous fait mal aux yeux parce qu'on n'en a pas pensé l'éclairage. Nous pratiquons le surfing sur le dos des ondes, plutôt habiles avec le temps, il faut bien le dire. Tout va bien? Et pourtant, au commencement du téléphone, on ne savait pas qu'un jour on n'aurait plus besoin de se voir: on prenait ses rendez-vous par téléphone, et voilà que maintenant, on «fait» ses rendez-vous au téléphone. Pourquoi se déplacer? Et puis, en ces temps de prolifération des M.T.S. et du Sida, il vaut mieux se prendre dans nos bras à travers un Minitel, c'est nettement plus sécuritaire.

Bon. Tout ça pour dire que je m'ennuie de la radio. Je me suis laissé un peu emporter. Tout ce qui divise les êtres humains me fait paniquer, moi qui suis tellement grégaire. On devrait payer un régime à la solitude pour qu'elle perde du poids et qu'on retrouve notre légèreté. Pourtant, me direz-vous, la radio est en pleine expansion, regardez la prolifération des Radios libres en Europe et la quantité de Radios privées en Amérique. Mais qu'est-ce qu'elles nous racontent, ces radios? Est-ce qu'on a envie de les entendre? La plupart du temps, elles nous cassent les oreilles dans une autre langue. Elles nous assènent des nouvelles dont on se passerait, et oublient les beaux moments, les gens simples qui savent vivre mais qui ne sont pas de la chair à «scoops». J'aime la radio, mais je n'aime pas la manière dont on la pratique. La radio devrait être branchée directement sur l'intime, pas ailleurs. Parce qu'elle est le médium par excellence de l'intimité. Pas d'image à défendre. On peut faire une entrevue en jeans avec un pull troué, si on en a envie. La radio voyage léger, on n'en profite pas. On peut s'en aller seul avec une Nagra dans la jungle si on veut. On peut s'installer sur le coin d'une table de cuisine si on veut. Et nos voix s'infiltrent comme de l'eau sous une porte dans tous les interstices de la vie: dans les chambres d'amoureux ou de malades, sur les plages, dans les oreilles d'un ouvrier qui couvre le bruit des machines, dans le trafic de fin de journée, quand on est prisonnier de sa voiture. Partout. Et en plus, on n'est pas obligés d'arrêter de vivre pour la regarder, on peut bouger, respirer. La radio n'est pas exigeante comme l'Impératrice TV qui nous commande l'immobilité. (C'est vrai, on peut toujours tricoter en même temps, je vous l'accorde.)

On ne profite pas de la radio. On la pratique comme si elle avait été vaincue à jamais, par *knock-out* technique, par la championne toutes catégories qui elle, sait faire des images. La radio est complexée, elle aurait besoin d'un «re-birth» pour se rendre compte qu'elle est unique, qu'il n'y a personne comme elle pour laisser place à l'imagination, à la fantaisie. Les voix qu'on entend nous font des images qui nous appartiennent en exclusivité. On peut fabuler, tomber en amour si on le désire avec cette voix qui nous endort ou nous réveille le matin. On peut tout faire avec la radio, y compris des images qu'aucun magnétoscope ne peut copier. Elle est encore le principal outil de la guérilla. Il lui faudra peut-être elle-même prendre le maquis pour se refaire une santé. Elle doit sortir, aller prendre l'air pour retrouver sa magie de débutante, du temps où elle était encore capable de changer en une seconde la couleur des murs gris ou de mettre un peu de bleu sur les idées noires. Peut-être alors retrouvera-t-elle sa puissance et deviendra-t-elle redoutable dans cette... «cohabitation» avec sa sœur qui a réussi dans la vie, la télé.

Un seul inconvénient: nous devrons réapprendre à écouter, à s'écouter. Mais il me semble que ce ne serait pas un luxe...

Quand j'ai commencé à faire de la radio en 1973, les gens que je recevais en entrevue s'étaient imaginé une femme grande, blonde, 35 ans, à cause de ma voix. J'étais petite, noire et j'avais 21 ans. Alors, vous voyez bien qu'il n'y a rien d'évident à la radio...

Magazine *Micro -4*, février 1988

NOTE DE 1988:

Quelques mois après la fin de *La Vie en Rose*, une réalisatrice de Radio-Canada, Simone Delucca, m'a demandé d'écrire une chronique délinquante sur le thème de la radio. Comme je m'ennuyais d'en écrire, j'ai accepté. *Micro -4* ne circule que chez les télédiffuseurs au Québec, en France, en Suisse et en Belgique.

J'ai voulu terminer ce recueil délinquant par un poème qui me semble résumer, à lui seul, tout ce que j'ai voulu faire dans ces chroniques pendant cinq ans. Suzanne Jacob a gentiment accepté de me le prêter. Je ne sais pas encore si je vais le lui rendre. Je suis incapable de m'en lasser. Merci.

Postface

Salut à vous qui avez soigné vos ongles aujourd'hui
à vous qui avez frotté l'argenterie et les médailles
Salut aussi à vous qui vous nommez par votre essence
    à vous qui vous nommez par votre nature
    et qui défendez vos versions.

Salut aussi à ceux-celles qui n'ont pas trouvé ici
le siège qui leur aurait convenu
à ceux-celles qui auraient souhaité être ou croiser
des invités d'honneur
à ceux-celles qui ne doivent rien à rien ni à personne
à ceux-celles à qui les banques ne prêteront pas.

Salut aussi à vous qui cachez vos poèmes
à vous que la honte réprime
à vous qui questionnez cette honte
à vous qui transportez vos cris rognés-matés
qui avez choisi le silence et que le silence oppresse

Salut à ceux-celles qui ont aujourd'hui fait ce
qu'ils avaient à faire et aux autres qui ne l'ont pas fait
à ceux-celles dont le devoir est la misère
à ceux-celles dont le devoir est le désir
à ceux-celles dont le devoir est le devoir et je les plains.

Salut à vous dont le devoir est l'amour infini
    à vous dont le devoir est la science
    à vous dont le devoir est le doute
    à vous dont le devoir est la technique
    à vous dont le devoir est la statistique
    à vous dont le devoir est l'objectivité
    à vous dont le devoir est la prophétie
salut à nous qui n'avons pas le choix par choix
                        de n'avoir pas le choix.

Salut à ceux-celles qui espèrent
    à ceux-celles qui désespèrent
    à ceux-celles dont l'espoir est la résignation
    à ceux-celles dont l'espoir est la bulle d'hydrogène
    à ceux-celles dont l'espoir est l'analyse
    à ceux-celles dont l'espoir est la révolte
    à vous dont la résignation est la sagesse
    à vous dont la révolte est la tendresse.

Salut à vous qui avez aimé les dinosaures et
qui saluez leur disparition
Salut à vous qui avez sur les autres un peu d'avance
                un peu d'argent d'avance
                un peu de temps d'avance
                  quelque joints d'avance
                  quelques bières d'avance
                      un peu d'avance.

Salut à ceux-celles qui seront remboursés
salut à ceux-celles qui en savent long. Plus long
                      beaucoup plus long
et qui savent même que le savoir contrôle à partir
                          des sourcils
Salut à ceux-celles qui connaissent tous les secrets
                          du chef

et qui continuent d'en commander la salade.
Salut aux sauveurs de meubles et aux sauveurs de
                                        planète,
salut aux fabricants de bouées.

Salut à ceux-celles qui attendent une réponse
Salut à ceux-celles qui n'en attendent plus
        à ceux-celles qui n'en donneront pas
        à ceux-celles qui n'en donneront plus
Salut à ceux-celles qui digèrent bien la crème
il y en aura au menu ce soir
à ceux-celles qui voudraient bien que les aigles
fécondent les poules et les moineaux, par vocation
                                        historique
à ceux-celles qui voudraient niveler les girafes
et les hippopotames pour avoir toutes les têtes
un peu exactement au même niveau que la leur
et si possible un peu en dessous.

Salut aussi à vous qui avez gobé qu'il n'y avait pas
de queue sans tête
Salut à vous qui tournez en rond
        à vous qui tournez autour du pot
        à vous qui tournez tout en dérision
        à vous qui tournez tout à votre profit
        à vous qui vous tournez les sangs
        à vous qui tournez à tout vent,
je vous dis, la terre tourne, la chance aussi...

Salut à vous qui vous murez
à vous qui hurlez oui, à vous qui hurlez non
à vous qui vous évanouissez entre le oui et le non.

Salut aussi à ceux-celles à qui on n'a rien dit
qui sans le moindre indice, sans le plan le plus vague

s'enfonceront dans les glaises muettes,
trouveront enfin les os de la terre
en suceront toute la moelle
avant de les trouer pour les livrer aux poumons

                                        de ces vents

qui se seront levés jusqu'à la torture
du fond de leur sang
SALUT

                                    SUZANNE JACOB
                                        1979

Première page couverture de *La Vie en Rose* en mars 1980.

La vie en rose
un inséré de 24 pages au
coeur du Temps Fou
mars-avril-mai 1980 vol. 1
n° 1

Équipe de production
Andrée Brochu
Marie Décary
Sylvie Dupont
Ariane Emond
Lise Moisan
Francine Pelletier
Claudine Vivier

MAQUETTE
Andrée Brochu
Marie Décary

COLLABORATION

Textes
Monique Dumont
Françoise Guénette
Camille Raymond
Chantal Sauriol
Francine Tremblay
Yolande Villemaire

Illustrations
Madeleine Leduc
Ginette Loranger
Nicole Morisset
Lise Nantel
Micheline Pelletier

Photos
Suzanne Girard

Correction d'épreuves
Suzanne Bergeron
Louise Bonnier

LIAISON
Ariane Emond

Administration
Louise Desmarais
Suzanne Ducas

Publicité
Claude Krynski
Louise Legault

ÉDITORIAL

un projet dérisoire

La vie en rose est un projet dérisoire, un misérable 24 pages dans une revue qui tire à 6 000 exemplaires et rejoint à peu près un millième de la population du Québec.

La vie en rose n'aura pas de télex, pas d'envoyée spéciale à Kaboul, ni à Téhéran. Sauf exception, personne sur Les Lieux. Nos Sources seront généralement aussi mal informées que celles de tout le monde : nous dépendrons nous aussi des grands média. Notre premier numéro se dit rétro, mais ce n'est qu'une figure de style parce que tous les autres vont l'être autant : de trois mois en trois mois, nous suivrons, et de loin, le cours des Événements. Pas de local, pas de permanence, pas de salaires. À **La vie en rose**, il n'y aura pas de patrons, pas d'employées. Pas de grand mandat politique. Pas d'autre hiérarchie que celle de l'énergie investie. Pas d'autres raisons d'y travailler que le plaisir de dire personnellement et collectivement notre façon de voir la vie.

Tant mieux si des femmes et des hommes s'y reconnaissent, nous y comptons évidemment. Mais tant mieux aussi si d'autres tiennent à s'en distinguer. Pour nous cette discordance est nécessaire et même indispensable.

Parce qu'avec **La vie en rose**, nous tâcherons justement de faire, à contre-courant dans un monde où les communications sont de plus en plus centralisées et uniformisées, une presse subjective, une presse d'opinion. Nous ne prétendons pas cerner la réalité ou lui faire suivre une ligne ; nous nous contenterons de regarder et de commenter le monde qui nous entoure sans chercher refuge derrière les paravents sacrés de l'objectivité et de la représentativité. Nous ne chercherons pas à véhiculer des certitudes ; simplement nous indiquerons les pistes qui se présentent à nous.

En effet, **La vie en rose** est un projet dérisoire. Pourquoi pas puisque chacune de nos existences l'est aussi et que cela ne nous empêche pas de vivre. Nous voulons rendre compte d'un peu de cette vie.

Bien des gens tentent de faire croire que le féminisme n'est qu'une mode ; certains ajoutent même qu'elle passera bientôt. Nous souhaitons que la naissance de **La vie en rose** prouve une fois de plus que le féminisme est loin d'être triste et stérile, que les féministes sont bien vivantes et entendent le rester.

S.D. pour
L'équipe de production

Les manuscrits qui sont acheminés au comité de lecture de LA VIE EN ROSE doivent nécessairement être accompagnés d'une enveloppe de retour pré-timbrée et pré-adressée, sans quoi ils ne seront pas retournés.

Pour nous rejoindre, laissez votre message à la permanence du TEMPS FOU (tél. : (514) 842-7420) ou écrivez-nous à l'adresse suivante : 4329 Henri-Julien, Montréal, P.Q. H2W 2K7

CET OUVRAGE
COMPOSÉ EN PALATINO CORPS 12 SUR 14
A ÉTÉ ACHEVÉ D'IMPRIMER
LE VINGT-NEUF SEPTEMBRE
MIL NEUF CENT QUATRE-VINGT-HUIT
PAR LES TRAVAILLEUSES ET TRAVAILLEURS DES PRESSES
DES ATELIERS GRAPHIQUES MARC VEILLEUX
CAP-SAINT-IGNACE
POUR LE COMPTE DE
VLB ÉDITEUR.

IMPRIMÉ AU QUÉBEC (CANADA)